TERMINAL

MAREK BIEŃCZYK
TERMINAL

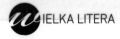WIELKA LITERA

Korekta
Jadwiga Piller

Pierwsze wydanie niniejszej książki ukazało się w 1994 roku
nakładem Państwowego Instytutu Wydawniczego.

Wielka Litera Sp. z o.o.
ul. Kosiarzy 37/53, 02-953 Warszawa

Skład i łamanie
Piotr Trzebiecki

Druk i oprawa
Interdruk, Warszawa

ISBN 978-83-63387-59-4

o oczywistości mojego bytu pojawiał się w tym akcencie rodzaj figlarności, która znaczyła mniej więcej: owszem, jesteś, jak najbardziej, ale to jeszcze nie wszystko. Jednak i to mi wystarczało, czasem jestem jak żebrak, biorę wszystko, co dają, zwłaszcza że najczęściej poprzedzała to nazywanie rzeczy, tak, tak, po imieniu, zaimkiem dzierżawczym, jakże niesłusznie określanym w tamtych krajach posesywnym, gdyż w tym jej krótkim „mój", w połączeniu z imieniem, którego sam nie chcę wymawiać, bo znowu pomyślę, że słyszę głosy, nie było niczego biorącego na własność czy we władanie, jedynie cicha, czuła kpina. Słyszę ją, gdy to mówi po jakiejś mojej gafie czy po kolejnym wystrzałowym żarcie; słyszę nadal: tak, tak, mój M., brawo, mój M., ho, ho, mój M., tym razem poszło ci lepiej. Świetnie, tego chciałem, chciałem tej małej porcji pobłażliwości, żeby tylko poczuć, jak mnie nazywa, jak wylatuje z jej ust ten identyfikator i ta pieszczota liter, właśnie. Czekałem więc, aż to się zdarzy, spokojnie, bez napięcia, wiedząc, że wreszcie musi przyjść, że wreszcie rzuci to słodkie zewnętrzne potwierdzenie, że świat przemówi przez jej usta, wciągnie mnie na swą listę. Ale tak na co dzień, ten dzień w dzień taki sam, chyba że bagietki świeżej zapomni się dokupić, imię moje leżało odłogiem, czekało sobie spokojnie na wezwanie jak niemowlę na przewinięcie, niewinne i bez głosu. Bo muszę wam powiedzieć, ona nie była jak wasza matka, siostra czy żona czy mąż, przede wszystkim mąż, ona nie wołała

pole potrzeb, a zachcianek to już właściwie zero. Wyjaśnię na przykładzie: idziemy sobie ramię w ramię do sklepu, tam w górze ulicy, bo tani, ale towary nie leżą w pudłach, tylko stoją elegancko na półkach, i wchodzimy z koszyczkiem, zostawiając wózki rozmarzonym i liczącym na nieśmiertelność. Z lewa i z prawa uśmiechnięte pyski krów i świń, ryby radośnie zamiatające ogonem i kury obwieszczające wesołym gdakaniem, że dobry z nich pasztet, a w dodatku 20% darmo, ale żadnej reakcji, ślizga się wzrokiem po nalepkach, jakby to były twarze obcego wywiadu, niczego nie daje po sobie poznać, moglibyśmy tak przeciskać się w tym tłumie aż do przyjazdu policji, no bo kto słyszał o spacerowaniu po sklepie w biały dzień, gdy świeci słońce i prosi o docisk źdźbło na trawniku. Pytam głośno: na co miałabyś naprawdę ochotę, wyłączywszy, dodaję w duchu, rzeczy od piętnastu franciszków w górę, na co: na ten serek śmieszny z dziurką w środku i dwiema po bokach, na te eskalopki z kurczaka czy z bardziej doświadczonej kury, a może na złocisty kuskus? Nie odpowiada, choć nie składała ślubu milczenia, grzecznie wzrusza ramionami, a gdy zaczynam rozglądać się bezradnie za mamusią, rzuca cicho: sam wybierz. Chociaż nie, nieściśle przekładam: to ty masz wybrać. Przekład lepszy, sytuacja gorsza: bo właśnie tak jest, tak musi być; z nas dwojga to ja dostałem do ręki długopis, to ja podpisuję wszystkie decyzje. Co zjemy? wszystko mi jedno, co ty lubisz; gdzie pójdziemy? gdzie chcesz; jaki film obejrzymy? wybierz, to ty masz wybrać. Nie wiedziałem wówczas, co o tym w sklepie myśleć, mówiłem sobie na razie: ona istnieje inaczej, i koniec, ona czuje pod ręką kształty, a nie wartości, hierarchię nadawaj sobie sam. Więc dobrze, na początek po plasterku szynki, tej okazyjnej, kwadratowej, żyłki ma takie ładne jak liść jesienny, na szczęście kolor inny; potem po zupce w proszku, zagrzewasz wodę, i po wszystkim, do tego gotowe grzanki o smaku cebulowym, soczewica z parówkami, po dwie na przełyk, i na deser, właśnie, co na deser? Wybierz ciasteczka, mówię, ociąga się, patrzy w sufit, wreszcie wybiera najtańsze albo te, o których wie, że je lubię, no i wychodzimy, zakupy ładuje sama, starannie, najpierw puszki, a miękkie oddzielnie. Czasami, gdy z rozpaczliwym błyskiem w oku miotałem się po sklepie, gotów z niemocy wyboru zaprosić przekornie na posiłek łososia wędzonego, pasztet z gęsiej wątróbki z truflami, złotą kulę Sucharda z nadzieniem nugatowym, a może nawet Johnnie Walkera, tyle że bez małżonki, litowała się nade mną i na moje kolejne błagalne spojrzenie wyrzucała z siebie z determinacją i rezygnacją: jogurty, czy zostały nam jeszcze jakieś jogurty? Oczywiście, że nie, zazwyczaj mało co zostaje, kiedy ma się lodówkę za oknem, a portfel w zamrażarce. Mówiła: jogurty, i czułem wzruszenie, bo w tym słowie tak dziwnie wypowiedzianym kryła się jeszcze i wstydliwość, że coś

Jogurty lubiła jednak wyraźnie, choć próbowała tego po sobie nie pokazać. Wyczułem to szybko, jestem jak greckie bóstwo, wiem przecież, co człowiekowi smakuje, i dbałem, by ich zgrabne pudełeczka, zawsze w liczbie sześciu, bo poniżej się nie opłaca, regularnie zdobiły dno koszyka i cieszyły oko kasjerki. Jadła je śmiesznie, na początku jak zupę, łyżeczka i w usta, łyżeczka i w usta, potem, w miarę gdy masy ubywało, usta obejmowały kontrolę i z biernego przyjmowania przechodziły do aktywnego zlizywania. Wreszcie nadchodził koniec, pudełeczko odsłaniało jak wszystko swą pustkę, ostatnia łyżeczka zmierzała nieuchronnie ku przeznaczeniu i wówczas następował cud, bo tak nazywam jej ukradkowe spojrzenie przed pożegnalnym oblizaniem, sprawdzające, czy niczego się nie domyślam, czy nie zanadto pokazała swą słabość, czy nie zauważyłem jej języka zjeżdżającego po metalowej poręczy i dryfującego po białej niecce, a w końcowym akordzie powracającego niespiesznie do ust, prowokacyjnie wystawiających się na jego jeszcze jedno, naprawdę już ostatnie smagnięcie. Niczego nie widziałem oczywiście, wpatrywałem się w ścianę za jej plecami, odczytywałem z opakowań zawartość ciał tłustych i protein, tych nigdy nie brakowało, lecz w duszy rozgrywało się słodkie igrzysko, przyłapywanie życia na gorącym uczynku w konkurencji damskiej; bawiło mnie odkrywanie, że ona również jest człowiekiem, bawiło i wzruszało, że tak po kryjomu i wstydliwie podbie-

Autobus był z tych starszych modeli, dłuższy niż wyższy, i niemal wszystkie miejsca zajęte, tak to bywa, gdy wycieczka jest za pół darmo, a za życie też się płaci niską cenę. Siedziałem sam, na szczęście, bo nogi mam dosyć długie i ruchliwe, i ziewałem do szyby, pytając siebie, jak ongiś gniewny poeta, co tu robię, w czarnym kapeluszu na głowie, w ten dżdżysty poranek, przed gwizdkiem Głównego Sędziego, gdyż świat wydawał się o tak wczesnej godzinie jeszcze niewykluty z pierwotnego chaosu. Za jedyną odpowiedź miałem cichy szum motoru i wirowanie liści w powietrzu. Ruszyliśmy, na przodzie zrobił się wesoły gwar, to ci bardziej obudzeni i więcej wiedzący przypomnieli sobie szkolne czasy. Tu z tyłu siedzieliśmy wszyscy ponurzy, normalnie, przecież nie jechaliśmy do krainy wiecznych łowów, w życiu czekała nas wciąż prowizorka. Tak jak się obawiałem, przewodnicy doszli do wniosku, że nie ma co dłużej czekać, głowy się rozgrzały, a nadzieje utrwaliły, i można przystąpić do pracy. Prezentacja zaczęła się od prymusów, od przodu, i dobrze, my w głębi mieliśmy jeszcze czas na smakowanie własnej klęski, na gorzkie obliczanie chwili, w której wyznasz, skąd jesteś, jak cię zwać, czym się zajmujesz, a jeśli przewodnik się uprze, to czy wszedłeś w związek małżeński i co z tego wyszło. Mikrofon wzywał nowych podsądnych, po Chińczykach przyszła kolej na Węgrów, Latynosów i świętych Maurycych z takiej właśnie wyspy, fajna, piekielnie daleko stąd. Wrzało coraz bardziej, znaleźli się przecież kawalerowie oraz panny, i wśród chemików, i wśród medyków, bo w życiu nie ma reguł, wreszcie doszło do mnie; na zdrowie, pomyślałem, i spojrzenia wszystkich na nowo ochrzczonych wyniosły mnie na scenę przy kierowcy. Warknąłem coś, musiałem powórzyć dwa razy; wycedziłem wreszcie: z War-sza-wy, dodając jakąś bzdurę w typie: to w Europie, usłyszałem rechot paru rodaków, byli pewnie tego samego zdania, biedacy, i wróciłem z frontu, wojna okazała się krótka. Ocuciło mnie to wszystko, niebezpieczeństwo zawsze mnie mobilizuje, a rozejm nie uspokaja, i z uwagą dotrwałem do końca przesłuchania. Przyszła kolej na ostatni rząd, cztery damy, przyjąłem dane do wiadomości, jedną już skądś znałem, z jakiejś poprzedniej wyprawy, przed kolejnymi dwiema też nie padłem na kolana i niech mi to zechcą wybaczyć, mam ograniczone pole widzenia i rozbudowany system kontrolny. Już przeszły i na miejsce wracała ta czwarta. I właśnie wówczas nasze spojrzenia się nie spotkały. Patrzyła w bok albo jeszcze niżej z dziwnym zacięciem i skupieniem, napinając żyły tam, gdzie zaczyna się boczna granica czoła; zwróciła tym na chwilę moją uwagę, zwłaszcza że swój casus, wyjątkowo niejasny, wyłuszczyła przez mikrofon równie sucho i beznamiętnie; żadnego uśmiechu, wdzięczności, że można za darmo powiedzieć o sobie i ktoś chce tego słuchać, żadnego zmiękczenia z okazji spotkania człowieka z człowiekiem. Niezła, coś w niej jest, pomyślałem i odwróciłem twarz do okna, za którym przemykały olchy i dęby, i buki też. Gdy przypominam sobie tamtą chwilę, wiele się we mnie dzieje, lecz czuję się jak muezin, któremu nagle zabrakło głosu. Powiedzieć jedynie mogę, że w mojej głowie jest trwała szczelina, rzeka podziemna dzieląca czas na dwie części, przed i po, i rozumiem teraz, że od tamtego błysku, tamtego wyrazu jej twarzy moje życie przenosić się zaczęło z wolna na drugi brzeg. Nie, nie było to dla mnie żadne gwałtowne uderzenie, pioruny trafiają tylko w najwyższe drzewa, ani nawet nie było to poczucie, że coś się wydarzyło, chwilowe tylko wrażenie, że w rannej otchłani dnia, tam gdzie nicość sprzęga się z konwulsją, a bułeczki dopiero się dopiekają, dojrzałem coś ładnego, szczególnego, obraz; obraz, który wiele dni później okazać miał się początkiem, bezgłośnie dotkniętym przyciskiem, pierwszą literą miłosnego alfabetu. Antyczna Ananke awizuje Amora. Albo jeszcze inaczej. Pojąłem później, a dziś mam tę wiedzę w małym palcu, że jej twarz, przesuwając się koło mnie, lojalnie wyraziła w jednym mgnieniu jej całe jestestwo; ocean wyrastał z tej jednej kropli, bo gdybym bardziej zastanawiał się nad jej zachowaniami, większość z nich sprowadzić mógłbym do tej ekspresji, wywieść z tych oczu szukających ucieczki na poziomie moich butów, z tych ust, które odmawiały uśmiechu, lecz również grymasu, z pochylenia czoła, zmniejszającego ryzyko ciosu, i z siły przetrwania, bijącej z tego wyciszenia. No dobrze, z nosem przyklejonym do szyby trwałem w nieświadomości, w absolutnej niewiedzy tego, co nadejdzie; wpatrywałem się w szary pejzaż, na który wydałem ileś tam grosza, tak jakbym wierzył, że gdzie indziej jest inaczej niż tutaj czy tam, i w niewyspaniu oraz ogólnym odurzeniu powtarzałem sobie w duchu, ja, facet z War-sza-wy, miasta poetów i żołnierzy, wierszyk twórcy z przedziałkiem pośrodku, ten najbardziej znany, co się tak przekonywająco zaczyna, coraz to z ciebie jako z drzazgi smolnej dokoła lecą szmaty zapalone; dalej pamiętacie, jest wybór między popiołem a diamentem; stawiałem raczej na popiół.

Tak więc moje życie toczyło się dalej w rytm deklamacji, ale autokar już się zatrzymał. Wysypaliśmy się na bruk, ludzie zaczęli się łączyć w grupki i głośno dzielić uwagami, szybko idzie, pomyślałem, niektórzy już wymieniali adresy. Cieszyło mnie, że miejscowi zachowywali się zwyczajnie, wchodzili do sklepów, idąc lewą stroną ulicy obracali głowy w lewo, a po prawej w prawo, wystawali w kolejkach przy bankowych automatach i nie mieli żadnej nadziei na udany weekend. Szedłem na końcu grupy w kierunku pierwszego zabytku, przyglądałem się witrynom, żeby obudzić w sobie jakiekolwiek pragnienie, lecz na próżno, czułem się jak stół, na którym już nigdy niczego nie postawią. Zabytek okazał się miłym zameczkiem z kwadratowym dziedzińcem w środku, pomysł jak na tę okolicę dosyć rzadki, i z każdego miejsca na piętrze widać było, kto wchodzi, a kto wychodzi. Zaryzykowałem, powierzyłem swój los małej czarnej. Przewodnik wyglądał groźnie, ale lepiej umrzeć dobudzonym niż wegetować w pustce, pomyślałem. Dziwne, i dzisiaj dobrze to pojmuję. W pobliskim bistro wypiłem kawę po turecku, cichego, choć czarnego bohatera tej opowieści. Z fusów odczytałem, że będzie nieźle i że do obiadu podadzą wino. Wróciłem po resztę grupy, z informacji wypisanych na ścianie dowiedziałem się, że zamek należał do nieustraszonego rycerza nazwiskiem Serce i że z miłości rycerz postradał najpierw zmysły, a potem majątek, jego szczęście, że w tej kolejności. Gdybym wówczas wiedział, że świat jak umie i może wysyła znaki ostrzegawcze, zwróciłbym na to większą uwagę; trudno było mi jednak przypuszczać, że przemawia tak prosto i bez ogródek.

Tymczasem poszliśmy spożywać jego dary w pobliskiej restauracji. Stoły czekały złączone i zastawione, wszystkie tak samo, przekąsek nie można było wybierać, można było wybierać towarzystwo. I tutaj stoję przed wielkim pytaniem. Nie jest to może pytanie zasługujące na drukowane litery. Albowiem ja nie zamierzam pytać o koniec Historii, nie chcę przenikać tajemnic eleuzyjskich ani zastanawiać się, kim była Czarna Maska. To nie spór nowożytników ze starożytnikami ani Słowackiego z Towiańskim mnie w tej chwili interesuje; ja chciałbym wiedzieć, jak to się stało, że znaleźliśmy się naprzeciw siebie, że usiadła twarzą ku mnie, tak że nasze talerze niemal się stykały, a nasze kieliszki przesyłały sobie porozumiewawcze mrugnięcia. Czy mam zwalić wszystko na Fatum, jedno spokojne, niewzruszone, rozum nieubłagany świata? Gniotące nogami ziemię i trzymające w dłoniach urnę, w której śpią losy śmiertelnych? Czy na tę jej znajomą, która zdążyła szepnąć słówko o mnie, gdyż widziała mnie już wcześniej? Lecz co, u licha, mogła jej powiedzieć? Że byłem zawsze ponury i ciągnąłem się ślimaczo na końcu grupy? A może to, że ożywiałem się nagle przy obiedzie? Śmieją się z nas prawdy i milkną pytania. Na przystawkę był tuńczyk uwięziony w połówkach avocado. Nie wiedzieć czemu, u spodu miały dziurę, przecież jemu nic już nie mogło pomóc. Łyżeczki przechodziły na wylot i dźwięcznie stukały w talerz; zrobiło się luźno i swojsko, uśmiechaliśmy się do siebie wszyscy dookoła, wymieniając inne przykłady dziur w moście i w całym. Anglosaska sąsiadka po prawej wyznała, że zajmuje się szaleństwem w XVII wieku. Dzieliły nas trzy stulecia, lecz nie diagnoza bytu, toteż rozmowa toczyła się wartko. Portrety szaleńców, dzieła szaleńców, szpitale szaleńców; zapiski szaleńców też. Sąsiad z lewej, bałkański matematyk, puentował nasze dociekania tezami o rzeczywistości; po przystawce jest kolej na główne danie, twierdził, jeśli są kieliszki, to będzie wino, zakładał. Miał rację, dobrze to wyliczył, po chwili pojawiły się karafki i dymiące półmi-

tłumaczyłem sobie tę mieszaninę wstydliwości i zręczności, której z naprzeciwka świadczyłem, w ogólnym rozgardiaszu i szczęściu wczesnej wolnej soboty. I miało już tak być zawsze; zawsze gdy obserwowałem jej zetknięcie z rzeczywistością podstawową, konieczną jak jedzenie, promieniowała z niej dziwna wiązka obecności i nieobecności; była, gdyż jadła, w dodatku do końca, aż talerz ukaże swe blade oblicze, i zarazem nie była, gdyż mogła nie jeść, to nie należało do jej życia. Dlatego z dławiącym zdziwieniem wsłuchiwałem się pewnego dnia w jej opowieść o tym, że oto była z przyjaciółmi w restauracji węgierskiej i jadła faszerowaną paprykę na przystawkę, a potem gulasz i makowiec, potrzebowałem czasu, by zrozumieć, że wzmianka ta nie świadczyła o jakiejś zmianie, lecz że należała do innej jej cechy, do jej pasji kronikarskiej. Ale tę opiszę później, pomny recepcji grzybów w barszczu.

Kieliszki wystukiwały morsem hymn przyjaźni, w miarę jak ubywało im czerwieni, nam przybywało krwi; teraz żywiej prowadziłem rozmowę, ona też się włączyła, od razu śmiało, lecz spokojnie, pewna, że do deseru zdąży się wypowiedzieć. Odbijaliśmy sobie żarty i uzupełnialiśmy się jak ptaki dnia z ptakami nocy, doszlusowali do nas matematyk z Anglosaksonką i w pełnym pędzie zmierzaliśmy w stronę końcowego ciasta i jeszcze jednego na pożegnanie. Za moimi plecami rodak stażysta z dumą próbował przełożyć „chrząszcz brzmi w trzcinie w Szczebrzeszynie", przy jego stole pewnie już doszli do tortu z cukrowanym tatarakiem i wyszło na to, że w Szczebrzeszynie tną komary, święta prawda, lecz trochę mi się zrobiło żal tej pięknej miejscowości, tak źle zareklamowanej; nie przejmowałem się jednak, przed sobą miałem dwie słodkie warstwy kremu z biszkoptem w roli rozjemcy i jeszcze co najmniej kwadrans przed wyjściem w zapomniane miasto.

To nasze drugie spotkanie, a pierwsze oficjalne, nie wyglądało, podobnie jak następnych kilkanaście, na decydujące, bo choć i my byliśmy słodcy, dzielił nas wciąż naturalny konsumentom dystans; zatem jeszcze jakieś pożegnalne zdanko, jeszcze jakiś komentarz do przystawki i zmięcie serwetki charakterystycznym gestem nasyconych, choć niekoniecznie z dachem nad głową, i już wita nas ulica z drogowskazem „Katedra", dobrze wiedzieli, jak nas do tego przygotować, wiedzę o człowieku posiedli dogłębnie, idziemy, już obok inne wycieczkowiczki, szczebiot, gratulujemy sobie obiadu, dziękujemy słońcu za przybycie i szybko zapominam o niej, i tak to będzie trwało jeszcze miesiąc. I mam poczucie, że nic nie pomaga, gdy puszczam sobie w oczy zimny prysznic, gdy do mych policzków mówię z otwartością dłoni, że te gesty nie są skuteczne ani dobrane do powagi sytuacji, lecz jak inaczej wyrazić żal za straconym czasem, za przeputaną chwilą? Miesiąc, cały miesiąc, czy wam też kiedyś oferowano pół, a może i trzy czwarte wieczności bez warunków wstępnych, na piękną

to pojąć, jeśli raz jeszcze, najlepiej od razu, otworzycie wasz album rodzinny albo obejrzycie slajdy z wakacji czy wycieczki na grzyby. W przeciwieństwie do was i do tamtych ja się jeszcze ze wszystkim nie pogodziłem i nie mogę patrzeć na trwalsze od nas zimne pejzaże i budowle i na te ciała, które ktoś pragnął ocalić od zapomnienia, lecz unieruchomił na lśniącej błonie. Być może dlatego zawahałem się nagle, czy przekroczyć próg katedry, na nowo stanąć oko w oko z nadzieją i rozpaczą, od rana zresztą było widać, że mimo chwil słabości nie jestem zdolny do naprawdę bliskich spotkań, dłoń podaję zwiewnie, a słowa wydobywam z górnych części mózgu i tylko w pozycji siedzącej. W końcu wszedłem. Wszyscy, wolno stąpając, wyciągali głowy ku górze i otwierali szeroko usta, choć nie krążyła nad nimi matka żywicielka. Farby mistyczne przecudownych witraży lały się w dusze nasze jak jakieś smętne, świecące nad grobem męczenników promienie. Spojrzenia moich bliźnich, jak ja dwunożnych i jak ja niepewnych, pytały, czy uda się jeszcze, choćby, w dzień, w którym już robaczki zaczną główeczki podnosić do toczenia naszych ciał, ostatnim źrenic niezgasłych spojrzeniem ujrzeć zstępującego Sędzię i Pocieszyciela. Miałem ochotę podzielić się moim przypuszczeniem, lecz nie, odszedłem w pustelnię bocznej nawy i kontemplowałem tę wielką powietrzną przestrzeń, która niepostrzeżenie wsączała się we mnie i rozrastała aż po granice skóry. Nie wiedziałem wówczas, w jakim celu, na przyjęcie czego czyniła się we mnie skrycie i na zapas ta próżnia, czekająca na wypełnienie; gdybym wiedział, może i ja rzuciłbym o jej losy we mnie pytanie i poczekał, aż mój głos, odbiwszy się o gotyckie sklepienie, skona. Wreszcie wyszedłem, nie zdając sobie sprawy, jak to ego na wycieczce, że ta jasna postać fotografująca właśnie fasadę, z jej aniołkami i diabłami i scenami z sądu ostatecznego, i niezwracająca na mnie uwagi, pewnie byłem za mało rzeźbiony i wciąż nierozliczony, rozpoczęła przed chwilą inne istnienie w innym miejscu.

W tym natomiast pojawił się orszak weselny, nie wiedzieć czemu, choć w wiadomym celu. Co oni znaczą, gdy tak tuż obok mnie idą, czy to jakieś niepojęte przesłanie, zastanowiło mnie żywotnie, czy zawczasu kpina w moje żywe oczy? Drzwi świątyni, za którymi już czekał dostojny chór, rozwarły się na oścież, kwiaty zadrżały w dłoniach i stopy przystanęły, lecz spojrzenia odważnie zapuściły się w czeluść. Poczułem, że i ja mam ochotę zadać młodym zagadkę, zanim pójdą swą drogą, na przykład, co to jest: rano pije kawę, po południu pije kawę i kawę pije wieczorem, lecz zwolniłem przejście, przyglądając im się jedynie uważniej; podziwiam ludzi, którzy potrafili odepchnąć innych. Od starej żebraczki, opartej o mur, dowiedziałem się, że swoją miłość pieczętuje wieczyście zacny obywatel miejski, ale kiedyś to dopiero były śluby. Sypnąłem jej grosza, żeby choć trochę wynagrodzić rozczarowanie i opłacić swe losy na przyszłość. Trafiłem na dobre serce, dodała bezpłatnie, że pani jest młodsza od pana o trzydzieści pięć lat, i pomyślałem czule i wdzięcznie, dokonawszy szybkich obliczeń, o tych wszystkich, które wolą wstrzymać jeszcze swoje przyjście na świat. I dzisiaj mówię: poczekajcie jeszcze, proszę. Przez chwilę spojrzenie moje i kawalera skrzyżowały się; świetnie rozumiem cię, stary, mówiło jego; wiesz, stary, rozumiem cię bardzo dobrze, odpowiadało moje.

Ruszyliśmy za przewodniczką w stronę średniowiecznego miasta, unosząc w aparatach widmo młodej pary. W wąskich uliczkach domy również niczym kochankowie zwracały ku sobie oblicza. Przez podwórza przebiegały mury rzymskich warowni. Głęboka przeszłość łączyła się z teraźniejszością. Z czasów minionych wysnuwały się dzisiejsze. Uśmiechnąłem się lekko do niebieskiego sweterka. Miałem nadzieję, że pamięta jeszcze wspólnie spożyty obiad.

Przewodniczka żywo opowiadała o dziejach miasta. Podobały mi się jej rumieńce, zapał, widać było, że lubi to miejsce. Przedstawiała każdą uliczkę; wszystkie sięgały wieków i tchnęłyby w pełni pogodnym wrażeniem nieprzerwanej ciągłości, gdyby w witrynach sklepowych nie rejestrowały przyszłych katastrof czarne skrzynki magnetowidów i magnetofonów. Tak, godzina tego świata już wybiła, pomyślałem, spoglądając niepewnie na ponownie zasnute niebo. Kiedy przechodziliśmy obok rue des Juifs, ulicy, jak się właśnie dowiedzieliśmy, dla najgorszych i najnieszczęśliwszych w średniowiecznym mieście, odbiłem w bok, ja znałem swoje miejsce. Odchodząc, spytałem, czyby nie poszła ze mną, lepiej zejść tędy od razu, wytłumaczyłem, jesteśmy straconym pokoleniem, outsiderami spektaklu świata. Nie odpowiedziała, dalej robiła zdjęcia, to przyklękając, to przechylając się, to znowu stając na palcach; z jej ruchów przebijało zawodowstwo; gdyby ziemia zaczęła się zapadać, gdyby drzewa wzlatywały w powietrze, a domy rozpadały się z hukiem, nie zaprzestałaby swego dziwnego tańca. Jestem pewien, że nawet w dniu sądu ostatecznego pstryknęłaby zdjęcie zebranym i dekoracjom; najpierw z lewej, potem z prawej, i jeszcze jedno na pożegnanie, wychodząc drzwiami w górę albo w dół. Raczej jednak w górę. Bo takie są fakty, miejsca i ludzie, po co zachowywać się tak, jakby działo się coś szczególnego, koniec to koniec, sąd to sąd, a wycieczka to wycieczka. W porządku, niech filmuje dalej, tak naprawdę miałem znowu ochotę na kawę. Moja dziwna kronikarka. Do dzisiaj właściwie nie wiem, co robiła z tymi zdjęciami. Wielu nie wywoływała, brakowało jej wciąż pieniędzy, a tych wywołanych też nie układała w albumy, w chronologiczne kolekcje, w ponumerowane koperty czy nawet w koperty bez numerów. Czasami, gdy szukała jakiegoś zagubionego adresu albo telefonu, wyjmowała jedno czy drugie z torby,

27

przewidziane do wysłania, i najczęściej zapomniane albo czekające nieskończenie na powstanie listu. Wówczas podsuwała mi je pod oczy, mogę je sobie zobaczyć, jak chcę, a jak nie chcę, to nie, nie było to istotne. W tym niedbałym geście, podobnie jak w szybkim, byle jakim prześlizgnięciu się wzrokiem, gdy sama je oglądała, kryło się to, co za każdym razem odczytywałem jako związek oczywistości i zbędności, obecności i absencji. Że tak być musi i że zarazem wcale tak nie jest; że rzeczywistość, której dowodem jest zdjęcie, istnieje niepodważalnie i nie ma co histeryzować jak ja, bojący się zdjęć jak ognia, ale że nic nie każe też robić z niej idola, zapominać o całej reszcie, o tym, co nie jest, i o tym, co będzie. Jeśli robiła zdjęcie, to dlatego, że nie buntowała się przeciwko tej tu chwili, ale nie było też w niej utopijnej pokusy zachowania ciągłości. W każdym razie to i tak dla mnie było za dużo, ja swoją chwilę poszedłem oddać małej czarnej, a może dużej, jeśli cena okaże się przystępna, filiżanka głęboka, a cukier odpowiednio słodki i w ślicznym papierku.

Miasto falowało, na ulice wylegli wszyscy ci, którzy lody i ciastka kupują tylko w sobotnie popołudnia, gdy rośnie potrzeba kontaktu z tym, co dane nam na słodko i na miękko; zza szklanej ściany kawiarni przyglądałem się posuwistej pracy języków i tłokowej szczęk, bacząc, by samemu jak najmniej otwierać usta; na szczęście kawa była gorąca. Coś się we mnie zaczęło, lecz nie wiedziałem co. Coś innego jednak ziewało przemożnie, niechętne zmianom i nieufne wobec wrażeń. Nie chciało mi się stąd wychodzić, wracać na zatłoczone ulice, czekać na czerwonym, iść na zielonym, wchodzić po stopniach autokaru, rzucać półsłówka, zdejmować płaszcz i wieszać go przy oknie, i wkładać ponownie, gdy się zrobi zimno. Nieruchomiałem w mojej szklanej stop-klatce i nie miałem zupełnie ochoty, by znowu wciśnięto „play". Za kawę też mi się płacić nie chciało; nie wiedzieć czemu, w sobotę liczyli tu więcej, może film wydał im się ambitny, coś z francuskiej awangardy, patrzeć, jak trawa rośnie albo jak stoi drzewo. Albo jak facet siedzi nad kawą zapatrzony w kant stołu.

Na ścianie pokoju, w którym przebywam, wisi obraz i często doń gadam. Za rogiem słabo oświetlonej ulicy w rozległym kawiarnianym akwarium siedzi przy konturze mężczyzna w szarym płaszczu. Widać go przez szybę, ma na głowie ciemny, zużyty kapelusz, obok siebie pustą filiżankę, a w ręku trzyma kieliszek długi jak noc. Nie rusza się, zapatrzony przed siebie, i z pewnością długo będzie jeszcze tak siedział. Jest odwrócony do mnie tyłem, lecz niekiedy sobie chwilkę rozmawiamy. Na przykład dzisiaj. Bo dzisiaj, tak jak on, plecy mam zgarbione, łokieć w blat wbity i rozszczepione w oczach światło. Toteż miałbym propozycje, lecz nie chodzi o konkurs, kto namalował ten obraz, dla ułatwienia dodam, że jest to artysta amerykański; zresztą nie spodziewacie się chyba żadnych nagród, wiadomo, że coś takiego nie istnieje; propozycja jest taka, żebyśmy wszyscy znowu przez chwilę odpoczęli, przez chwilę pomilczeli, aż dopali się drzewo w naszym kominku i zgasną światła w jego kawiarni.

Wyruszyliśmy dalej późnym popołudniem, rzucając pożegnalne spojrzenia na katedrę; czekał nas kolejny zamek, a potem kolejne miasto z historycznym centrum i przyszłościowym obrzeżem; zabytki przekazywały nas sobie z rąk do rąk jak gorącą cegłę. Co może jednak bardziej podbudować współczesnego człowieka niż widok pracy jego dziadów i pradziadów, którzy jak wszyscy mieli za złe ciemnym chmurom na niebie i drzewom uległym jesieni, ale zwycięsko z tego wyszli. Włączono głośniki radiowe, piękny męski głos śpiewał melodyjnie o pewnym programie telewizyjnym i wnioskował, że telewizja kłamie; wolałbym, żeby śpiewał o czymś innym, nie wiem, o życiu na drodze, o przygodach w tropikalnych lasach czy kobietach poznanych podczas spacerów po plaży, nawet jeśli z tyłu szedł pies; ponadto nie bardzo rozumiałem jego wyrzuty, kto by wytrzymał, gdyby jeszcze telewizja mówiła prawdę, czy nie wystarczy, że co dzień rano widzimy w lustrze swoją minę?

Mojej od dłuższego czasu ktoś się bacznie przypatrywał, wyraźnie ktoś z siedzenia naprzeciw. Obejrzałem się, porzucając z żalem moje okno na świat, i wróciłem między ludzi, lecz nie powitały mnie fanfary, nie przepłynąłem przecież Pacyfiku na desce do prasowania ani nie wszedłem na szczyt himalajski bez aparatu tlenowego i bez butów, byłem skromnym turystą z woreczkiem na szyi i wężem w kieszeni, i nazbyt ogólną perspektywą na bieg dziejów. Za to czekał mnie szeroki uśmiech i śpiewnie zaciągnięte moje imię. Miał dobrą pamięć, wiedział, że nie mam dzieci. On miał dwójkę, gdzieś na Syberii, choć może trudno to sobie wyobrazić. Jeśli powiem, że na imię było mu Miszka i mierzył metr dziewięćdziesiąt pięć, to też nie uwierzycie, takie horrory zdarzały się tylko na olimpiadzie albo w czterdziestym czwartym. Przyjechał na staż medyczny, był okulistą i wbijał się wzrokiem w moje oczy słabo ukryte za okularami, po chwili zaproponował nowoczesną operację. Zwlekałem ze zgodą, to jak już chcesz, powiedział, ale radzę ci się zastanowić, krótkowzrocznym dobrze życzę. Chętnie mu wierzyłem, tym bardziej że nie odstępował mnie już później na krok, przy stole siadał obok i podsuwał cukier do herbaty, otwierał przede mną drzwi wyjściowe, sugerował założenie szalika przed pójściem na spacer, za każdym razem powtarzając rzewnie moje imię. Nie ma wątpliwości, dumałem, przecierając szkła, to wzywała mnie miłość, prawdziwa, słowiańska, na inną nie miałem już szans, może rzeczywiście on widzi dalej. Właśnie zablokował wyjście parze Japończyków, by mnie przepuścić, przepraszająco mrugnąłem do nich okiem, tym lepszym, nie wyciągnęli mieczy.

Zamek, przed którym się zatrzymaliśmy, jeszcze do kogoś należał; w jego ciemnej fasadzie wymościło się tylko jedno światełko, to książę, objaśnił szeptem młody przewodnik, ogląda dziennik, mają wprowadzić nowe przepisy podatkowe. W stajniach książęcych obejrzeliśmy rząd zasuszonych rolls-royse'ów oraz kolekcję siodeł dla jednych i batów dla drugich, jak to zawsze bywa, a potem na palcach przeszliśmy przez część muzealną. Reprodukcje znanych portretów z warzyw i owoców, zdjęcia właścicieli z królewską rodziną, gobelin przedstawiający pogoń Akteona za Dianą, obraz słynnego mistrza Północy, ten ze słońcem wstającym w morskiej mgle, kolekcję monet osiemnastowiecznych, stół bilardowy z rozrzuconymi na suknie kulami, jedną białą, rzeźbione głowy znowu w stylu warzywniczym, z nosem z marchewki, stół zastawiony delikatną porcelaną, lecz obiad się jakoś spóźniał, kolekcję pistoletów z rzeźbionymi kolbami, list od płodnego pisarza do prapradziadka księcia z postscriptum pierwszym na osiem stron i z postscriptum drugim na dwanaście; bibliotekę z trzydziestoma tysiącami woluminów, w tym pierwszą książką kucharską w języku lokalnym, oto co widzieliśmy i co wyliczyć muszę, gdyż przemykając pamięcią po tych wszystkich przedmiotach, idąc po linii, którą kreślą wraz z tyloma innymi, napotkanymi w tamtych dniach, kupuję nowy bilet na odbytą podróż i dlatego proszę jeszcze o powściągnięcie niecierpliwości, nie ma się przecież co irytować i oczekiwać nie wiadomo czego, bo tu nic innego się już nie wydarzy, będą zwykłe rzeczy, przeciętne smaki i kolory nie zawsze feeryczne, szosy i skromne pokoje, a w nich cisi bracia wasi i zamyślone siostry wasze w ziemskiej wędrówce; za to już wkrótce pojawią się dialogi. Lecz na razie to jeszcze zdanie: gdy odjeżdżaliśmy, światełko w komnacie zgasło, pewnie przepisy podatkowe zostały uchwalone.

Posuwaliśmy się, gubiąc drogę, w gęstej mgle, wysączonej z obrazu angielskiego artysty, tego, przed którym przystanąłem u księcia, podobnie jak przystanęła chwilę później ona. Jeśli chciała sprawdzić mój smak, chyba się nie rozczarowała, to była najlepsza rzecz w zbiorach i bezbłędnie na nią trafiliśmy, jakby wiedzeni instynktem przyszłości; jak bohaterowie filmu z leitmotivem, którzy w jednej z pierwszych scen widzą, powiedzmy, łódkę kołyszącą się cicho u brzegu, a w ostatniej nią odpływają, chyba że ją przedziurawią Niemcy. W naszym przypadku była to mgła, mgła morska i mgły inne, na przykład pewnego dnia lotniskowa, lecz nie o tym teraz chciałbym mówić. Wspomnieć muszę o jej zwyczaju stawania za plecami, cichego, niespodziewanego. Pojawiała się nagle za tobą jak Indianin o brzasku i trwała przez chwilę w bezruchu i milczeniu. Obecność nagła i niespodziewana, łódź podwodna, która się wynurza, promień, który przebija gęste listowie, wskazówka sekundnika pokrywająca dużą, te wszystkie i wiele innych wrażeń za sprawą jednego kroku. Tak być może, wyobrażam sobie, przystaje za tobą twój osobisty anioł, sprawdzający, jak istniejesz, zrównujący się na chwilę z tobą w solidarnym współbyciu i zaraz odchodzący dalej, pozostawiając cię w twej na krótko przerwanej samotności; ten bezgłośny oddech za plecami, niepoparty żadnym słowem ani dotykiem, był dla mnie dziwną informacją, pochodzącą ze źródła uogólnionego, był jak zetknięcie z nieokreśloną, lecz wyczuwalną tajemnicą; stawała na chwilę za plecami i bezszelestnie odchodziła, i w żadnym wypadku nie należało się wtedy odwracać, uśmiechać, rzucać jakiegoś głupiego słowa w rodzaju: ale mnie zaskoczyłaś; ale się cicho skradasz, zupełnie jak Indianin o brzasku; czy troskliwego: wszystko w porządku?; to mówił do ciebie los i należało wytrzymać tę chwilę, odpowiedzieć zastygnięciem, zmrużeniem oczu.

Mgła się wreszcie rozrzedziła, wraz z nią ustąpiły symbole i senność, zwarta linia latarni doprowadziła nas do hotelu „Panoramicznego". Stał, jak całe miasto, na wzniesieniu, od jego bram do rynku, oczywiście zabytkowego, prowadziła ulica, z drugiej strony rozciągał się nieskończony, głęboki widok na równinę z rzeką, która płynęła w lewo ku swoim licznym zamkom, a w prawo ku swym niepojętym źródłom. Księżyc topił w rzece srebrzyste promienie, samotny i rozmarzony. Pijane statki chmur mijały go z daleka i ginęły w ciemnym morzu nocy, a żałobne pióropusze drzew przesyłały sobie jesienne kondolencje. Groźny, prostokątny cień budynku, przetkany złotymi otworami, pochłonąłby każdego śmiałka, który odważyłby się postawić tu nogę, każdego wędrowca zagubionego w otchłaniach tej nieludzkiej ziemi. I to wszystko, i tak do rana. Jak to – wszystko, jak to – do rana? A pokoje o nieutwierdzonych numerach sześć i dziewięć, w bliskim sąsiedztwie, a nocne przejścia po rynnach i poranne powroty na czubkach palców, a balkony otwierane cicho i zatrzaskiwane z hukiem, windy stające w pół piętra i klamki zwilżone krwią, i uporczywie milczący portier w recepcji i jego język w pudełku na klucze? Albo chociaż spotkanie o trzeciej nad ranem, w hotelowym klubie, gdzie po ostatnich gościach pozostał papierosowy blizzard, barman dyskretnie oblicza wpływy, pianista gra wreszcie to, co sam lubi, a ty, schowany za graniastą szklanką podwójnego burbona z lodem, dostrzegasz wiotką niebieską postać za muślinową kotarą i mówisz wstępne: dobry wieczór, czy naprawdę warto czekać nowego dnia? Nie, chyba wciąż nie rozumiemy się dobrze, to nie ta fabuła, to nie ci kochankowie. Tu jest najpierw rozmieszczenie po pokojach, pół godziny na rozpakowanie się i przebranie, kolacja na dole, krótki spacer kto chce po wyludnionym starym mieście i już do pokoju, cicho, by nie obudzić współtowarzyszy, i spanie aż do rana, i nawet żadnych snów ani koszmarów, poza tym dziwnym wrażeniem, że się uczestniczy w wycieczce. Ale i tak przeżyłem przygodę, o mało nie przydzielono mi pokoju z Miszką, dwanaście godzin rozmowy o mojej duszy to dla mnie za wiele, ziewam już po kwadransie i przechodzę na inne tematy, rozwój dorożkarstwa w Japonii, ptaki rzeczne i ich przyjaciele, i choć czułem w plecach sztylety zawiedzionej nadziei, rzuciłem się desperacko na walizkę jednego Węgra, pomogę ci zanieść i do pokoju, szepnąłem błagalnie, coś blado wyglądasz. Okazał się wyrozumiały, poza tym kochał nową Europę i cieszył się, że porozmawiamy o naszym wspólnym wejściu do niej; w porządku, odetchnąłem z ulgą, nie będzie mowy o duszy. On zrobił dla Europy już wiele, był w międzynarodowych władzach, jego żona spodziewała się dziecka i miło mu było myśleć, że spędzi ono życie poza geopolityką, bez bloków i granic, w radości łączenia się i przyłączania; wybrał już nawet dla potomka popularne wśród narodów imię, w wariancie męskim, żeńskim i bliźniaczym. Ja raczej sądziłem, że na wyspie Patmos nikt mądry nie prokreuje, ale kolacja smakowała nam jednakowo, zwłaszcza pasztet z ryb słodkowodnych od Dniestru po Tamizę, i serdecznie przepijaliśmy do siebie, wznosząc, to ja, toasty za pomyślność jego dzieci i, to on, za moją powściągliwość.

Nazajutrz Węgier wstał pierwszy, wytrwał kwadrans pod prysznicem, wyglansował buty, pogimnastykował się i starannie posłał łóżko; oho, na jednym dziecięciu się nie skończy i na Europie dwunastu też na pewno nie, wydedukowałem, odwracając się na drugi bok jak detektyw Marlowe przed pójściem do pracy. Pewnie patrzył na mnie z wyrzutem, żałowałem, że nie wiem, jak jest po węgiersku: odczep się, albo, chociaż wedle europejskiej tradycji czuję się jak Syzyf przed wejściem na górę, bądź łaskaw i daj mu jeszcze chwilę na oddech i porzucenie marzeń. Po tym, co oni nazywają tu śniadaniem kontynentalnym, choć nawet odwiecznej na Przedmurzu jajecznicy ze skwarą nie podają, powróciliśmy zorganizowani na stare miasto, które było równie puste i smutne jak w nocy. Miasteczko słynęło z tego, że podczas wojen religijnych mieszkający tu odmieńcy przez cały rok stawiali opór, zanim się poddali i wyrżnięto ich w pień; pozostały tylko kroniki oblężenia. Poczułem dla nich podziw i respekt, przez rok myśleć wciąż jedno, niczego się nie wyrzekać, budzić się z tym samym, z czym się zasypiało, i pisywać księgi złożone nie z pozbieranych dowcipów, cytatów i kryptocytatów, lecz z powagi jednej myśli, kto by to dzisiaj potrafił i wytrzymał, ja w każdym razie nie, zawróciłem więc do autokaru, by swoją nieobecnością oddać im cześć. Po drodze w przydrożnym kurzu znalazłem pieniążek, zanim chuchnąłem nań i schowałem do kieszeni z suwakiem, wymówiłem życzenie, żeby więcej wojen nie było i klęski suszy i powodzi, żeby stypendium mi przedłużyli, żeby Węgrowi urodziły się trojaczki, żeby miłość zapukała do mojego zimnego serca i długo w nim zagościła, a z mej ręki spłynęła poezja. No i domyślacie się sami, co z tego wyszło, może za dużo żądałem, może nominał był za mały, Węgrowi urodziła się jedna chuda córeczka, ja wróciłem do kraju, w Bangladeszu wylało tak, że w Etiopii wyschła ziemia, rozejm ustanawiają co godzinę, a łamią co pół, poezja jaka jest, każdy widzi. Zapomniałem o miłości, lecz chyba nie powiecie mi, że to dzięki monecie w jakiś czas potem wystawałem w oknie, kawiarniach i na przystankach z różą w rękach, że to dzięki niej skąpałem się w rzece błogości, mówiłem raz na dzień dobranoc i dwa razy dziennie jadłem jogurt, przecież to chyba nie przez ten głupi pieniążek, pięciojednostkowy, z kobietą szczodrze siejącą ziarno?! Ciekawe, kto go tam podrzucił.

Tyle pytań bez odpowiedzi i tyle jeszcze godzin do powrotu, a każda chwila jak nowe pytanie, jak nowa wątpliwość. Na przykład, dokąd teraz się udamy, czy spełnią zapowiedź i dowiozą do winnicy, gdzie w chłodzie piwnicznej izby degustować będziemy słynne białe wino, regionalną perłę w koronie? Autokar długo kluczył po asfaltowych alejach, wielokrotnie okrążając miasto, i gdy jasne się stało, że nie zapamiętamy drogi, pomknął prosto pod piwnicę. Na stole stały już smukłe butelki, spocone ze strachu przed otwarciem, kieliszki ochoczo rozwierały paszcze i gdy tylko młody właściciel skończył opowieść o ziemiach wapiennych i kredowych, o dojrzewaniu w beczkach, o kierunkach eksportu i braku importu, o szczepach szlachetnych i odmianach marnotrawnych i gdy wraz z jego relacją zniknęły także wstępne orzeszki, wyskoczyły trzy pierwsze korki wszystkich trzech butelek i trzeba było wiele sprytu i pomysłowości, by producent nas nie opuścił i, kuszony pytaniami o stosowane środki chemiczne, o płace robotników najemnych, o liczbę winogron w jednej kiści, wreszcie o zdrowie żony, dzieci i imię psa, nie muszę dodawać, że wabił się Ferment, doniósł trzy kolejne i jeszcze trzy, bo okazało się, że, powiedzmy, żona czuła się świetnie, a pies miał małe.

Przede mną ustawiła się kolejka, cierpliwa i wdzięczna, zawsze marzyłem skrycie o zawodzie barmana, tego malarza przestworzy, który pustce nadaje barwy; zbliżcie się, przyjaciele, wołałem, potrząsając butelką, podchodźcie pojedynczo i bez trwogi, pomaluję wam świat na niebiesko, urządzę was chromatycznie, komu jeszcze zieleni, komu fioletów i cynobru, i szkarłatu angielskiego, komu, komu; komu, komu, bo idę do domu, podchwycili rechotliwie rodacy, cisnąc się po warcholsku, stadnie, nalałem im tyle co wszystkim. Wreszcie podeszła i ona, to było nasze przedostatnie przed powrotem twarzą w twarz, oko w oko, grymas w ćwierćuśmiechu; wokół zrobiła się cisza, na ludzi zawsze działa nagłe pojawienie się piękna, bo chyba dlatego słychać było czysty, przejrzysty dźwięk, jaki wydał jej kieliszek trącony szyjką butelki; długo unosił się w powietrzu, trwał i trwał, drgał i drżał niebiańską wibracją, oznajmiając wokół, że wino nieodwołalnie się skończyło, ale że nie należy tracić nadziei na piękno i kolory, tak długo jak jedziemy razem autokarem Międzynarodowego Centrum Stażystów po wzgórzach i dolinach, wśród zamków i winnic tej gościnnej ziemi. Nie padło żadne słowo, nie powiedziałem: bardzo mi przykro, i nie usłyszałem w odpowiedzi: nic nie szkodzi, toteż nadal nie mogę rozrzedzić mej opowieści pierwszym dialogiem; nie spojrzała mi w oczy jak dziecko, któremu nie chcą sprzedać mleka, ani ja nie przesłałem spojrzenia mówiącego: kto późno przychodzi, sam sobie szkodzi, albo, na odwrót: ostatni będą pierwszymi; w pamięci pozostał mi tylko dźwięk i że zaraz trzeba było wsiadać, na zewnątrz już się niecierpliwiono. Ten dźwięk brzmi wciąż we mnie jak uroczysty gong, jak nostalgiczna syrena alarmowa.

Po zetknięciu przedostatnim nastąpiło ostatnie. Wpadaliśmy na siebie raz na parę godzin, nieistotnie i bezładnie, a to przy obrazie, a to na ulicy outsiderów, a to wśród beczek wina. Żadnego, zdawałoby się, porządku, musująca praca czasu, na brzeg wypada co chce i kiedy chce, brak rymów a b b a. Dlatego z literacką przyjemnością myślę, że znowu się odnaleźliśmy, jak dzień wcześniej, przy stole, w wiejskim zajeździe, wśród zapachów potrawki z kurczaka; że z tego chaosu da się wyciągnąć jakąś nitkę, zestroić

echo, choć tu menu było bledsze, a kawy w ogóle nie podali. Już się obok rozsiadł matematyk, już postawił hipote-
zę, że obiad będzie z czterech dań, ale zaczniemy od przystawki, już miejsca obok zajęły trzy krajanki i śmieliśmy
się narodowo, że jedna ma czerwony nos po białym winie,
a miejsce obok mnie pozostawało wciąż wolne. Konflikt
interpretacyjny trwał bardzo długo i nawet dzisiaj niczego nie jestem pewien. Utrzymywała uporczywie, że chciała usiąść przy mnie, i z tym się zgodzę, człowiek ma tyle
dziwnych potrzeb, i że była, cytuję, mile zaskoczona zaję-
ciem dla niej miejsca. Ludzie, ja niczego nikomu nie zajmowałem, przysięgam na Litwę, Estonię i Kuwejt. Jednak,
z drugiej strony, może cechuje mnie, jak mówią w książ-
kach i stosują w życiu, zła wiara, bo dlaczego miejsce obok
było wolne do ostatniej chwili, dlaczego inni omijali je szerokim łukiem, tak jakby znali mnie od dawna, tak jakby
na mojej twarzy było wypisane: spadaj, obcokrajowcze, to
nie dla ciebie krzesło, wara od mych włości, idź tam, gdzie
nie płoną lasy i gdzie trawa zielona, najlepiej do sąsiednie-
go stołu. Weszła do sali ostatnia, oczywiście, rozejrzała się.
Czy przywołałem ją ręką? Podejdź, dziecko, podejdź, za-
przyjaźnij się ze smokiem. Nie pamiętam. Po prostu przyszła ostatnia, rozejrzała się i usiadła.

Zawsze przychodziła ostatnia. Jak rozum do głowy, jak
Mohikanin, jak kapitan. Jak niedziela, jak tango w Paryżu,
jak spowiednik. Jak wodzirej poloneza, seans filmowy po

północy, jak czwarty król. A ja czekałem jak fiut, jak palant, no, może jestem dla siebie okrutny, jak kania, jak tatka. Aż w gardle miałem łzy, a w oczach chrypę. Aż chciałem pójść i nie wrócić. I wtedy się pojawiała; gdy robiła się ze mnie kupka popiołu, gdy kelner zabierał trzecią filiżankę i po raz czwarty się pytał, czy nie podać wody, gdy znałem już na pamięć skład rządu w Boliwii i kurs szylinga na giełdzie tokijskiej, pojawiała się cicho; z jej oczu biła nadzieja, że niczego nie zauważę, myliła się; i druga, że nie będę krzyczał, miała rację. Nigdy nie powiedziałem jej: któregoś dnia zapomnisz głowy, czy wiesz przynajmniej, jaki mamy teraz miesiąc, czy znowu: na swój ślub też się spóźnisz, albo: czekam wciąż na ciebie jak ten palant; smutniałem tylko nieco, odkrywałem samotność łaknącej myśli, znużenie tym zawirowaniem pragnień i odstrychnięć, z których wszystko się składa, i milkłem. Czasami miałem ochotę wyrazić coś poważnego i efektownego, dzisiaj każesz mi czekać dwie godziny, później będą dwa dni, dwa tygodnie, a potem dwa miesiące i dwa lata; trzeba przyznać, że budowałem zdania według nieskomplikowanej poezji wzrostu. Wreszcie zrozumiałem, że nie ma co walczyć, co to za pojedynek, w którym wyciągasz miecz, a przeciwnik nie rozumie, czym ty u licha wymachujesz, co to jest w twojej ręce takie długie i błyszczące. Bo ona nie urodziła się w świecie wag i miar, klepsydr i kukułek, inaczej to obliczała; była, była ze mną, tak wyglądało jej kryterium i nie warto wpatrywać się w sekundnik, sprawdzać godzinę w radio, u zegarmistrza i u kelnerów z obu zmian; nie ma co mnożyć 60 przez różne liczby, jak powiedziała, że przyjdzie, to przyjdzie. Pojąłem w końcu, że zamiast niepewności zyskiwać powinienem pewność: że choćby nie wiem co, zawsze się pojawi, że choćby doznała w ciągu dnia nie wiedzieć jakiej przykrości, upokorzeń, że choćby ciężko zachorowała, zgubiła wszystkie pieniądze, nawet te zapasowe dziesięć franków, nie zdążyła na ostatnie metro, to i tak przyjdzie i na nic się nie poskarży, wyrzuci zdenerwowanie, zapomni o stracie, przyjdzie wprost do ciebie, niechybnie. Niechybnie.

Usiadła i stała się rzecz dziwna. Obok półmiski przechodzące z rąk do rąk, energiczna konwersacja, wzmocniona reminiscencjami piwnicy degustacyjnej, mowa żywa, jędrna, wieża Babel w poziomie, a ona nagle wstępuje na schodek wyżej, w cywilizację pisaną! I żadnych tam hieroglifów, robaczków i skrętów złączonych na górze jedną linią albo czytanych od lewa w prawo, od razu alfabet łaciński i na wszelki wypadek litery pełne, duże, okrągłe, świat w oczach dziecka. Spojrzałem nieufnie na podsuniętą mi kartkę, wiadomo, że od liter zaczęły się wszelkie moje nieszczęścia, za dużo czytałem, jak pani Bovary, i mniej więcej na to samo wyszło: schadzki w mokrych lasach, w nieswoich miastach i w nieznanych katedrach, przejażdżki po zagubionych stawach, tęsknoty za balem i niechętny udział w pracach domowych. A na kartce adresy, dwa! Akademik dla starszych, czy coś w tym rodzaju, i najpierw dane przyjaciółki, tej znanej mi, a pod spodem jej własne, jedne jakoś podobne do drugich, mieszkały pod tym samym numerem. Ha, myślę sobie, odczytawszy pod jej baczną kontrolą imiona i nazwiska i schowawszy karteczkę w miejsce na karteczki, ha, dołożę jeszcze sobie kurczaka, w końcu jest nie najgorszy.

Zagadaliśmy językowo, opowiedziałem jej o moim znajomym, który obmyślił alfabet dla plemienia z tropikalnej dżungli, mówiącego ginącym narzeczem, to był dziwny facet, wierzył, że ziemia jest okrągła, i wciąż wysyłał do siebie puste koperty, podobno trafiały bezbłędnie, co napawało mnie nieokreślonym smutkiem. Tymczasem jednak wewnątrz zaczęła się już praca dedukcyjna. Ja nie dziergam koronek, ja szyję grubo, szczególnie gdy się najem, toteż rozumowałem mniej więcej tak: kultura i cywilizacja, oczywiście, muszą być preteksty i podstawowe gry psychologiczne, przecież nie usiądzie ci prymitywnie na kolanach, nie pociągnie nosem, wdychając twój zapach, i nie poliże cię jęzorem po policzku, co znaczy: tu jestem i tu zostaję. My przeszliśmy dalej, w naszym stuleciu nad naszymi głowami przelatują stalowe ptaki, domy sięgają nieba, a mosty niewidocznych brzegów, trzeba to wziąć pod uwagę i trochę się wysilić, intencję zakamuflować, chętnie cię z przyjaciółką ugościmy u siebie, może byś do nas wpadł albo do nas przekręcił, może też miałbyś ochotę wziąć przyjaciółkę na spacer, to niedaleko od centrum. Oczywiście, czemu nie, może któregoś dnia, pod wieczór, albo w sobotę po południu, albo jeszcze kiedy indziej.

Tak naprawdę bardziej zaintrygował mnie jednak deser, anonsowany jako Pływające Wyspy, to działa na wyobraźnię, zwłaszcza gdy czytało się *Robinsona Crusoe* i Arkadego Fiedlera, i Stevensona, i dostawało pocztówki z wyspy Wolin, a w dzieciństwie spędziło się wiele czasu nad mapą i obliczało odległość od Wysp Dziewiczych do Wysp Wniebowstąpienia, gdy w wieku młodzieńczym medytowało się głęboko w sklepie eksportu wewnętrznego nad reklamą, twierdzącą, że każda kobieta jest wyspą, a jej zapachem perfuma Fiji, a w wieku dojrzałym to by się, cholera, wszystko rzuciło i gdzieś daleko stąd wyjechało, najlepiej na jakąś odległą wyspę. Cierpliwie tłumaczyła mi, jak się taki deser robi, że wyspy to dwie śnieżne kule ubitego białka pływające po słodkim Morzu Żółtym z żółtek; wyglądało to lepiej, niż smakowało, rzeczywiście, śnieżne balony unosiły się lekko i zwiewnie, i pozwoliłem im dryfować pod łyżeczki innych, wkrótce zaczął się abordaż, ale w mojej pamięci nigdy nie przestały płynąć i któregoś dnia w książkowej dedykacji napisałem jej: „Na Gwiazdkę jednej wyspie od drugiej wyspy"; pod spodem dodałem sprytnie „z tego samego archipelagu", wspaniałe, to tak jakby do Wielkiej Improwizacji dorzucić postscriptum, czyż nie?

W tym czasie wśród rodaków zaczęły się tajemnicze szepty, okazało się, że właścicielka zajazdu jest emigrantką sprzed wojny, i co rusz od stołu odrywała się kolejna sylwetka i biegła na zaplecze uściskać starowinkę i wyżebrać kieliszek likieru z gruszek, tutejszej, jak głosiła wielka plansza z butelką w kształcie lewatywy, specjalności. Mam słabość do gruszek, choć detektyw Marlowe preferował pomarańcze, uwodzi mnie w nich obfitość dołu po mizerii górnych dróg oddechowych, żaden znany mi owoc nie ma tej śmiałości kształtu, tej nierównowagi jakże życiowej, jakże ludzkiej, wszystkie inne są banalnie okrągłe czy wydłużone, we wszystkich punktach takie same, a nie na podobieństwo nasze. Pobiegłem do kuchni i ja, czy to przez te gruszki, czy przez niezrozumiałe pragnienie pokazania swych korzeni, choć obiad nie był aż tak wykwintny. Staruszka wycałowała mnie, opowiedziała, gdzie była rodzona i kim byli rodzice, i regulaminowo napełniła kieliszek, paszportu nie musiałem pokazywać. Nie wypiłem od razu, fakt rzadko notowany w dziejach polskości, wskazałem głową na salę i mruknąłem, tam jest ktoś taki... wielki przyjaciel Kraju, może by tak... Staruszka uśmiechnęła się czule, zawodowym ruchem napełniła drugi kieliszek i zatkała przesądnie butelkę. Uprzejmie dziękując, pomknąłem do sali; rodacy spojrzeli na mnie nieufnie, tak jakbym wracał z Targowicy, i nie mylili się, drugi kieliszek efektownie podszedł do lądowania przed nosem mojej sąsiadki, a w dodatku okazało się, że ona zna rosyjski. Piliśmy drobnymi łykami, bez żadnych toastów; cały stół myślał, i chociaż różnica w sposobie, w tym przecież podobieństwo, że większość o sobie. Ja na przykład, że mi smakuje. Ale co się działo w jej głowie, tylko jeden Pan Bóg wie. Tego akurat jestem pewien.

A potem był już powrót, przynajmniej dla mnie, wycieczkę uważałem za skończoną, wyczerpałem już swoją porcję entuzjazmu i soków trawiennych, toteż gdy przystanęliśmy przy jeszcze jednym zamku, wydłubałem się z grupy, wdrapałem do autokaru i usiadłem przy moim oknie. Kierowca zaplatał warkoczyki z plastikowych kolorowych nitek; zauważyłem wcześniej, że robił to w każdej wolnej chwili. Podobno kiedyś wszyscy wyrabiali te plastikowe pytki, taka była moda, jedno z szaleństw, bez których społeczeństwa nie mogą żyć, a indywidua wegetować. Teraz pozostał sam, ostatni pytkarz; inni przerzucili się na metalowe obrazki wbijane w swetry i marynarki, tatuaże bez użycia skóry. Przy kierownicy leżała już cała kolekcja wici, kolorowy absurd. Oto co po człowieku pozostanie, myślałem niewesoło, ale szybko, kupka barwnych martwych owadów. Stonogi bezsensu, wołałem bezgłośnie, jakże okrutnie świadczycie o człowieku; dlaczego człowiek w obliczu niemej natury i kruchego płuca nie przystanie spokojnie, dlaczego nie włoży rąk do kieszeni i nie potrwa tak sobie i innym. Obmacałem się po marynarce w poszukiwaniu długopisu. Wyciągnąłem z portfela wizytówki, ten jeden z najbardziej barbarzyńskich wymysłów cywilizacji. Tak bezczelnie stwierdzać, że jesteś. Śmiało utrzymywać, że coś robisz. Udawać, że masz swą prawą i lewą stronę. Mieć odwagę powiedzieć coś o sobie raz na zawsze. I jeszcze podawać adres, żeby samemu trafić do domu. Moja lśniła lakierowanymi literami, pomyśleć by można, że mieszkam w willi dwupoziomowej, a drzwi otwiera mi portier, stary wiarus z przestrzeloną nogą. Dobrze, dopisałem tych siedem cyfr. Nie był to czek z trzema zerami na końcu, choć kosztowało mnie to wiele, to była informacja o wygranych numerach.

Gdy grupa wróciła do autokaru, podałem jej bez słowa kartonik. Bez słowa włożyła do kieszeni. Przyjaciółce też dałem jeden, też z aktualnym telefonem. Przynajmniej się uśmiechnęła. Drogę do domu zakłócił już tylko jeden incydent. Na autostradzie zrobiły się gigantyczne korki, lecz wyczerpawszy aluzje do nieotwartych butelek, rezygnuję z ich opisania. W każdym razie nie powinny one dziwić, to naprawdę piękne miasto i warto do niego wracać. Na dowód wystarczy przejrzeć nasze powieści współczesne. Co druga albo trzecia rozgrywa się tam właśnie, w jego wąskich uliczkach nadrzecznych i na szerokich bulwarach północnych, i w geometrycznych parkach, rzadziej w kawiarniach i w restauracjach, to błąd. Można też poczytać wrażenia z pobytu tam, zamieszczane w każdym czasopi-

więcej nie przybrała. Proszę państwa, nie była kimś, kogo łatwo jest poruszyć, kiedy rumorem zaprzecza się ciszy, kiedy grupowy trans i zbiorowa histeria radości bez granic, ale tylko przez kwadrans – z jej spokoju czynią wroga, a z jej osoby wyzwanie. Nie otwierała ust, gdy inni wyli piosenki, kiwając się rytmicznie w kołysce złączonych ciał, nie rzucała śnieżkami, gdy wokół turyści lepili kule i nurzali się w bieli jak skruszone diabły. Nie warto było jej zmuszać, wyciągać rąk, mówiąc: chodź, chodź do nas, zabaw się z nami jak wszyscy, praojciec już zgrzeszył i żyje się raz; z równym powodzeniem można prosić dąb, żeby pomachał korzeniami. Mówiła wówczas ciche: nie, pozbawione chłodu czy suchości, raczej pełne żalu, że jest, jak jest, inaczej nie będzie, i sugerujące zarazem, żeby się nie obrażać, usiąść spokojnie koło niej, przerzucić ciężar z nóg na usta i coś opowiedzieć, najlepiej coś ciekawego. Straszne, coś ciekawego! Jej pozycja sama w sobie nie była technicznym wyczynem, nie stanęła przecież na głowie ani nie dotknęła stopą ucha, po prostu zerwała się z siedzenia i wychyliła jak średnio wygimnastykowany człowiek. Jednak duchowo i z dystansu rzecz ujmując, dokonała się momentalna rewolucja, po czym wróciły stare rządy. Obrazoburcza wobec jej ancien régime'u była już sama ciekawość, chęć dokładnego dojrzenia, co się takiego tam przed nią wyprawia, dlaczego ten facet w kapeluszu na głowie i w zielonej marynarce, z tych jakie noszą istoty pozaziemskie, gdy schodzą na nasz padół, a u siebie w niedzielę, obraca się wokół swej osi, unosząc wysoko jedną rękę, a drugą ciągnie za sobą roześmianą przewodniczkę, dlaczego paru turystów z przodu uderza równo dłonią o dłonie, a kierowca trąbi za każdym razem, gdy z głośnika rozlega się blaszane beknięcie saksofonu. Zazwyczaj przecież nie zwracała żadnej uwagi, przynajmniej w ten sposób, ciałem, na ludzkie słabości, rzucała jedno badawcze spojrzenie, oceniające szybko sytuację, liczbę biorących udział, fatalną jakość ich przedstawienia, ewentualne ryzyko jego rozrostu, i spokojnie wracała do siebie, tarasując kamieniami wejście. Zatem uniosła się zaciekawiona, i coś się stało, zrobiła jakby ruch do przodu, zawieszone pół kroku, bardziej jego imitacja niż rzeczywiste stąpnięcie, bardziej machnięcie stopą w wodzie albo w stanie nieważkości, lecz to mi wystarczyło, coś pod kapeluszem powiedziało mi: oho, aha, ajajaj. Nie ma wątpliwości, przez chwilę chciała się włączyć, dostrzegłem to w jej oczach, w zatrzepotaniu skrzydeł; trudno mi to określić dziś inaczej niż jako porwanie Europy, ukąszenie Drakuli albo chociaż próbny start „Apolla". Wcisnąłem kapelusz na nos, starczy, pomyślałem, samochody przed nami zaczęły się już przesuwać, tupnąłem trzy razy na zakończenie spektaklu, zapadłem się w siedzenie i przytuliłem do okna. Nie pamiętam, co przychodziło mi do głowy, zapewne znowu

Powinienem być może wstawić teraz dwójkę rzymską, by dać czas na herbatę i zaznaczyć przerwę. Że skończyła się jedna część i zaczyna druga. Że upłynęło parę dni czy coś takiego. Że tekst jest wszakże ciągły i rozwija się logicznie, stopniami. Tyle że ja się nie śpieszę i mnie nie goni wizja końca, chociaż znam rozwiązanie, listę ofiar i liczbę posiłków po drodze.

Mnie jest tak dobrze i bardzo wam dziękuję. Niech herbata parzy się wolno i niespiesznie stygnie. Niech cukier topi się statecznie. A może i wam należałaby się solidniejsza do herbatki przekąska, na przykład jajeczko, ale nie po wiedeńsku, po co tak od razu elegancko, polecam na twardo, 15 minut od zagotowania wody, na wszelki wypadek można dołożyć jeszcze dwie. I proszę też dobrze rozsmarować masło, nie ma sensu kłaść na bułę zimnych kawałów, niech mu najpierw zmięknie rura. Ja w tym czasie przetrę oczy, przyklepię włosy i koszulę dopnę, żeby też na kanapkę zasłużyć, i jednak obliczę, przez ile kolejnych dni wiodłem spokojny żywot stypendysty. Musiało być ich sporo, gdyż zdążyłem pójść do biblioteki i na wykład Słynnego Filozofa. Audytorium jak beczka śledzi, ludzie siedzieli wszędzie, drzwi zatkane, ani wte, ani wewte; jakiś Hindus, pewnie jogin, stał na jednej nodze, drugą założył na bok, można powiedzieć, że przynajmniej rozwiązał kwestię binarności kończyn. Filozof czekał cierpliwie, aż nastąpi cisza, i gładził się po krawacie szerokim jak narta wodna, tak pięknym i barwnym, że podobny mógł nosić tylko Wąż w Raju. Wreszcie zaczął; mówił i czytał przez równe trzy godziny, za każdym okrążeniem coraz szybciej i w różnych językach, aż paru nie wytrzymało i wyczołgało się z sali, Hindus spuścił nogę. Lecz choć czytał głośno, sprawiał wrażenie, że przebywa już tylko we własnym mózgu, we własnym mózgu gra sobie w klasy albo w bierki. Czyta głośno, ale szczebelek po szczebelku odchodzi coraz wyżej, jak Mojżesz, i widzi pod sobą cichnące, ciemne morze głów. Ludzie coraz mniej rozumieją, oczami wszakże podążają w górę, wreszcie ze zrozumieniem żegnają. Pomachałem mu ręką i ja, znikł we mgle, ale zasiał ziarno niepokoju, które kiełkuje dzisiaj. Albowiem jest tak, twierdził, że nie ma początku. Nie można z różnych istotnych względów powrócić do punktu wyjścia, od którego dałoby się stworzyć przyczynowy porządek. Zaczynając od początku, nie zaczyna się od początku, Wszystko się zaczęło wcześniej. Pierwotny jest niepoczątek. Zawsze już. Nie ma żadnego początku, istnieją tylko ślady, które w bezustannej grze odnoszeń odsyłają do innych śladów. To jak to? To po co te czterdzieści stron od samego „a", po co wasza dobra wola i zniszczone oczy? Wszystko mym złudzeniem, fałszywym porządkiem, naiwną chronologią? Trzeba więc było zacząć inaczej, ale jak zacząć, jeśli nie można zacząć? Od środka?

tak jak każdego wieczora, wróciłem sobie piechotą do mojego pokoju, pogwizdując, nie miałem do siebie żadnych pytań, co najwyżej same odpowiedzi. Bo odzewem na jaką kwestię może być sekwencja fiu fiu, fiu fiu fiu?

Lubiłem te wieczorne powroty, obmywałem się ze znużenia w światłach wystaw, zaglądałem do księgarń, by sprawdzić, co piszą inni, a nieźle im szło; przypatrywałem się przez szyby jedzącym, zaglądałem im do talerzy, obliczając ilość zjedzonych oliwek, i wydawało mi się nawet bezczelnie miłe i dramatycznie naiwne, że ludzie z dumą ujawniają, co trafia im do wnętrz i za jaką cenę. U piekarza na rogu kupowałem pół bagietki; nie było to dla niego wiele, ale dzięki takim jak ja, bezdzietnym, ale żywym, oszczędnym, ale niezdolnym do wsączenia zupy bez kawałka chleba, miał stały i pewny dochód; ciekawe, czy zauważył coś w końcu zimowego miesiąca, gdy zmuszony byłem kupować u niego całą bagietkę, a parę razy nawet po dwa ciastka. Z pieczywem jak lancą wchodziłem do foyer, rzucałem okiem do świetlicy, ci sami co zawsze faceci oglądający mecz, choć wynik brzmiał pięć do zera, awans był przesądzony dwa tygodnie wcześniej, a może nawet u zarania świata. Gdy wkraczałem do pokoju, czekało już na mnie w blokach startowych kilka karaluchów, skrzypnięcie drzwi dawało sygnał, sędziego w wyścigu nie było. Początkowo, czy może lepiej już powiedzieć: wcześniej, zawodników ustawiało się więcej, lecz od kiedy moja podeszwa stała się ich niebem, do zawodów przystępowali tylko najlepiej wyszkoleni. Następnie spożywałem kolację, ale o menu opowiem innym razem, bo długie są dzieje klusek w gotowym sosie ze słoika. Potem znowu wychodziłem, szedłem na rzęsiście oświetlony bulwar, czytałem coś przy kawie, od czasu do czasu rzucając spojrzenie na przejeżdżające samochody, na przechodniów, i fakt, że nikogo nie znałem i nie rozpoznawałem, korzystnie wpływał na moje samopoczucie. Gdy po filiżance już dawno nie było śladu, a rachunek kusił obnażonym grzbietem, żeby go odwrócić, składałem gazetę tytułem do wnętrza, podnosiłem kołnierz, tak żeby podpierał kapelusz, i szedłem nad rzekę; niekiedy wchodziłem na ten albo inny most, lecz nigdy nie docierałem na drugą stronę, zatrzymywałem się w połowie i czułem, jak pod stopami płynie leniwie woda, niechętnie opuszczając miasto. Zdarzało się, że z turystycznych barek podążających drogą monumentów padała mi na twarz oślepiająca biel reflektorów, tak jakby Ktoś W Górze albo Z Boku chciał mi postawić kilka kłopotliwych pytań, imię, nazwisko, miejsce zamieszkania i dlaczego jestem taki, jaki jestem, czy naprawdę nie nadszedł czas zmiany, potem może być za późno. Opuszczałem niżej rondo i milczałem, wciąż milczałem i wreszcie wracałem do siebie, bo i te pytania były za szerokie i moja odpowiedź za wąska. Niekiedy w krótkich uliczkach nadbrzeżnych spotykałem, jeśli było wystarczająco późno, starego człowieka.

– Nie wiem – spłyciłem – czy mógłbym zadzwonić za godzinę?

Zatelefonowałem po minucie, lecz i tak gratulowałem sobie tego wahania, tego dzwonka świadomości, który brzęczy w nas groźnie w chwili podejmowania każdej decyzji, dopóki nie przymkniemy mu szczęki zręcznym: nie pękaj, stary, korzystaj z życia, wstań i idź, czy podobnym poglądem. A jeśli teraz drżę, to nie poruszony i zawstydzony nicością bijącą z tego zawahania; przeraża mnie wspomnienie drugiej wspólnej wyprawy, po której powinienem był, gdybym miał jeszcze szansę druku lub chociaż reedukacji, zapisać tysiąc razy ku pamięci niczym w szkolnym kajecie: „Jak spotkam człowieka, to przemówię do niego serdecznie". No więc teraz przemawiam i, jak sądzicie, czy jest lepiej? Rzecz w tym, że ja z doświadczenia uczę się niewiele. Moje rozczarowania zawsze mnie poprzedzają jak straż przednia, jak zwiadowcy wojsk cesarskich. Jeszcze nie zwlokłem się z łóżka, a już wiedziałem, że lepiej dać spokój, nie obrażać innych swoim wyglądem. Ale gdzie tam, polazłem, licząc nie wiadomo na co, pewnie na piękno wewnętrzne, które we mnie mieszka. Pogoda była taka, że lepiej nie kosztować odpoczynku, nawet siódmego dnia, o godzinie pobudki nie wspomnę, mam słabą pamięć do małych liczb. Wszystko układało się jak w złym serialu albo w remake'u starego filmu; wszystko to samo, ten sam autobus, kierowca z pytką w łapie, ci sami w większości turyści i podobne oczekiwania. Bach, przylgnąłem do okna, nie istnieję, mam wakacje od bytu, w końcu to niedziela, nie? Przyszła oczywiście ostatnia, w chwili gdy już ruszaliśmy; dziękuję, że się zdecydowałaś, burknąłem; to nie moja wina, powiedziała cicho. Jasne, że nie jej, przecież to nie ona stworzyła człowieka.

Nie dość, że byliśmy, to należało za to odpowiadać, bo oto już wzywali nas na prezentacje do mikrofonu. Nie ma mnie, wrzasnąłem, gdy przyszła moja kolej, nie ma! Spojrzeli na mnie z niedowierzaniem, ich zdaniem, naprawdę byłem; mówię przecież, że mnie nie ma, zachrypiałem i zanurzyłem się w szklanym przestworzu. Zajechaliśmy dosyć szybko, nie zamierzali nas oszczędzać; czeka was słynne Muzeum Kruchej Porcelany, oświadczyli z dumą, okazało się, że to nie metafora. Nie poszedłem; nie będę łaził po łagrze dla przedmiotów, wyjaśniłem szefom, przypatrywał się ich wychudzonym ciałkom, kolorowym więziennym tatuażom na przezroczystej skórze, wklęsłym orbitom wnętrz, daremnie czekającym na wypełnienie, wygiętym rozpaczliwie w prośbie o dotyk uchom, proszę oddać mój bilet komisji Czerwonego Krzyża albo sprzedać na fundusz dla dzieci gnostyków. A co z biletem do Muzeum Sztuk Pięknych, zaraz tam idziemy?, zapytali; zachować, mruknąłem, chcę zobaczyć martwą naturę. Czekałem na zewnątrz wśród koparek, głębokich rowów i powyginanych rur, nie był to jednak żaden wyzwoleńczy podkop, to muzeum rozszerzało swoje cele. Wrócili wreszcie, skóry szkliły im się niezdrowo. Spojrzała na mnie jakoś dziwnie, ile rozczarowań prowadzi do zgorzknienia i do niechęci?, odczytałem z jej zaciśniętych warg; jedno albo tysiąc, zależy u kogo, wyraziłem cofnięciem szczęki, chodźmy lepiej na obrazki. Na ścianach drugiego muzeum krew, burze, tonące statki, ciała składane w grobach, odrąbane głowy, torsy przeszyte strzałami, zawsze w dziesiątkę, czy nie lepiej było poczytać ranne gazety? Właśnie, ranne, parsknąłem do siebie i sobie zawtórowałem; zatrzymałem się dopiero przed portretem Demokryta, pędzla hiszpańskiego mistrza, nie spodziewałem się kogoś takiego tu spotkać. Zdało mi się, że gdzieś go już widziałem, głowę zdobił mu kapelusz, nochal miał wydatny, szatę ciemną, gębę sarkliwie wykrzywioną. Wyszczerzyliśmy się do siebie porozumiewawczo. Lepiej w kloace niż na piedestale, rzuciłem na początek; zagubionym tutaj, jak zagubiony byłbym wszędzie, szepnął, żyć to tracić wciąż teren, podbiłem stawkę; byt jest podejrzany, co zatem powiedzieć o życiu, które jest jego zboczeniem i spleśnieniem, zawtórował; niczego nie dokonać i umrzeć w zmęczeniu, walnąłem bez ogródek; zniszczonym przez nudę, ten cyklon w zwolnionym tempie, wyznał chełpliwie; lepiej być zwierzęciem niż człowiekiem, rośliną niż zwierzęciem, kamieniem niż rośliną, zbawieniem jest wszystko, co uszczupla królestwo świadomości, podważa jej panowanie, skonklu-

ła, poprawiła plastikowe kwiatki w wazonie. Istnienie jest plagiatem, zgrałem nerwowo następną kartę; uśmiechnęła się zwiewnie i wciąż bez słowa, dodałem więc z rosnącą rozpaczą, że pięknie byłoby się narodzić przed człowiekiem i w tym leży tajemnica wszystkich tajemnic. Spytała, czy podobała mi się katedra w tym zimnym szarym dniu, ją zachwyciła jeszcze bardziej niż inne; tak, niebo ponure, a mózg mój jego firmamentem, wyszeptałem; wyraziła pogląd, że najbardziej urocze w mieście są domy z wmurowanymi w nie słupami kolorowego drewna; elegancko zasłoniłem usta. Zobacz, odwróciła moją uwagę, widzisz tę reprodukcję, to Harmonia w kolorze żółtym, dobry, solarny znak. Tak, to kolor życia, przytaknąłem dla świętego spokoju, dlatego tak razi mnie w oczy. Wychodząc, złapałem ją za ramię i natarczywie spojrzałem w oczy. Nasze miejsce jest gdzieś między bytem a niebytem, między dwiema fikcjami, wysylabizowałem z naciskiem na samogłoski. Zobacz, nie mówiłam, wyszło słońce, spostrzegła, wstępując w oświetlony kwadrat przed drzwiami. W najgłębszej głębi nocy zrozumieć można, że latarnie świecą tylko dla siebie samych, poinformowałem ją i podążyłem w stronę autokaru. Gdy sadowiłem się na moim miejscu, spostrzegłem z tyłu smutną latynoską twarz. Chciałem w ostatnim wysiłku rzucić coś braterskiego i pocieszającego, dzisiaj na dnie, ale przecież jutro jeszcze niżej, lecz coś mnie powstrzymało. Jego oczy były za poważne, bladość lica zbyt bolesna. Oho, musi dobrze tańczyć tango, pomyślałem.

Myliłem się. Tańczył jeszcze gorzej niż ja, sadził chaotyczne, nierówne susy, tak jakby abdykował ze swych europejskich korzeni na rzecz ciężkiej indiańskiej żywiołowości. Ale i tak wolała chyba tańczyć z nim. Szczególnie mnie to nie dziwiło, to przecież we mnie była zakochana. Wprowadzę tę postać do mej opowieści w odpowiednim czasie. Nie zanosiło się, że ktoś inny jeszcze w niej wystąpi, co? A jednak. Czekam już niecierpliwie na ten moment. Będzie to najmniej erotyczna historia wszystkich czasów. Ja z nim w jednym pokoju. Ona dwa piętra wyżej.

Gdy żegnaliśmy się tamtego wieczoru, powiedziała tylko suche: do widzenia, przechylając głowę w bok, jak ptak szukający osłony pod skrzydłem. I dodała moje imię, to z wizytówki. Wróciłem do siebie, ta sama droga, w świetlicy powtarzali mecz z wczoraj, i widziałem, jak ci, co strzelili, cieszą się po raz drugi, a ci, co stracili, po raz drugi rozpaczają. Zrobiłem sobie herbaty, jak to Polak przed pisaniem, i usiadłem przy stole bez ruchu. Po leżącej przede mną białej, pustej kartce biegał karaluch; rozpędził się na całego. Po co ten pośpiech, gdzie tak lecisz, czego szukasz, daj spokój, zawołałem do niego w ciemną noc. Sprawiłby mi radość, gdyby mnie usłuchał i sobie odpuścił. Ale wychować sobie uczniów jest trudniej, niż się zdaje, poleciał gdzieś w nieznane za szafą.

Następnego dnia, przeczytajcie to jednak dzisiaj, udałem się ponownie na wykład Słynnego Filozofa. Żałowałem, że nie zabrałem jej z sobą, bo oto kolejny autorytet potwierdzał wywodem, co ja odczuwałem skórą. Nie ma imienia własnego, konstatował ku mojej uldze. To, co nazywa się powszechnie imieniem własnym, istnieje w systemie różnic; jednostkę określa nie jej imię, lecz odniesienie do imion innych. Aby imię było rzeczywiście własne, musiałoby istnieć tylko jedno imię własne, które nie byłoby już nawet imieniem, lecz czystym nazwaniem czystego bytu. Imię własne jest od zawsze niewłasne; nazywanie daje i zarazem odbiera istnienie; imię własne wywłaszcza i odwłaszcza. Fajne, zaraz po wykładzie poleciałem do księgarni obejrzeć sobie książkę Filozofa; obawiałem się, że jej nie znajdę, spytałem, gdzie czegoś takiego szukać; normalnie, odpowiedzieli, po nazwisku autora, układ jest alfabetyczny.

Nauka zdecydowanie przychodziła mi z pomocą, utwierdzała moje intuicje, bo oto na innym wykładzie Sztukmistrz Młodszy opowiadał o pewnym dziele Długiego Rzeźbiarza, jedynym abstrakcyjnym, choć tylko pozornie, w jego wielkiej twórczości. Był to nieregularny metrowej wysokości ośmiościan, odlany w twardym, błyszczącym metalu, ale najlepiej prezentował się w wersji gipsowej na czarno-białej fotografii, w skąpym oświetleniu. Kto wie, czy nie przedstawia on czaszki albo wręcz twarzy, kusił mnie wykładow-

To było na czole, w dwóch miejscach, w silnej wypukłości nad brwiami, schodzącej zdecydowanie, z obu stron, do płaskiego środkowego punktu, z którego schodek niżej wyrasta nos. Uderzyło mnie to na autoportrecie Mistrza z dziwną czapą na głowie, w białe i czarne pasy, i z kobieco odsłoniętym biustem. Na tym drugim, słynniejszym, z którego wpija się nam wzrokiem prosto w oczy albo jeszcze głębiej, też to widać, ale tam zapatrzyłem się w kolejną wspólną jemu i jej cechę: na obrzeża czoła, zwłaszcza na bokach, na granicy, którą pierwszy rząd włosów tak dziwnie rysuje na białej, z lekkim odcieniem żółci skórze. Był to rodzaj twardego, kościstego spotkania, ledwo tylko zmiękczonego samą naturą włosa, jak wiadomo, genetycznie przecież rozlazłego. Może jestem tutaj dla owłosienia za mało wyrozumiały, może w ogóle mam mu coś za złe, wypominam mu słabą wolę, bo w moim przypadku czoło nie daje za wygraną, w porządku, jestem łysawy, ale zaiste i u niego, i u niej czoło oddawało teren niechętnie, dumnie i do samego końca zachowując swą kościstość, rzekłbym nawet: geometryczność. Miało w sobie coś przedziwnie solidnego i pudełkowatego i wystawiało na pokrycie ściany wręcz kanciaste; tych konturów skóra złagodzić nie była zdolna, a i włosy czyniły to niewprawnie, po prostu stawiały się na spotkanie, bo tu rosły, lecz bez wielkiego zapału i nadziei na przyciągnięcie uwagi. Dopiero potem, w tylnych szeregach, ujawniały swą zabójczą tropikalną

i radosnych zapatrywań na przyszłość, popychając je, gdy zanadto zbliżyły się do brzegu, długimi kijkami. Obok trafiłem na pustą kabinę telefoniczną; włóż kartę, głosił napis za szybką aparatu, włożyłem; poczekaj chwilę bez nerwów, poprosił drugi napis, odczekałem; wykręć numer, rozkazał aparat, wykręciłem; mów, co masz do powiedzenia, nie za długo, ale wreszcie zdecydowanie, zamrugało za szybką, więc powiedziałem: jutro, o dwunastej, przed ratuszem.

Okazało się, że parę minut przed pierwszą; spokojnie obejrzałem sobie w pobliskim domu towarowym kapelusze; jak na ilość zużytego materiału wydawały się piekielnie drogie, nawet spodnie dla słonia byłyby tu tańsze, miałem najlepszy dowód, że za rzeczy duchowe płaci się drożej, taka dodatkowa powieka między okiem a światem to już prawdziwa fortuna. Świetnie, docisnąłem swój zliniały filc i wróciłem na plac, jednak przyszła, z daleka widziałem jej niebieską kurtkę, kręcącą się wokół swej osi i okrążającą plac, zawisłą dopiero wtedy, gdy podszedłem godnie na trzydzieści metrów i wyniośle oraz doktrynalnie znieruchomiałem. Z takiej odległości można już zabić, nawet wzrokiem, powinna była pomyśleć, spostrzegłszy moje spojrzenie, ale gdzie tam, z radości okręciła się raz jeszcze, modelka bez kreacji, lecz za to w afekcie, ziemia ruszona z posad, podbiegła wesoło niczym Kopernik do Ptolemeusza i stało się to, czemu w części będzie poświęcona moja dalsza opowieść, o ile przebrnę przez wstępny tego czegoś opis. Bo jak skutecznie, długo i pięknie wyrazić, żeby i wam ciarki przebiegały po plecach, żebyście i wy nieruchomieli z niemocy, ten jej gest, który tu na placu miał swój początek, a w pełni rozwinął się ileś tam dni później, gdy przypływ morza przez uchylone okno na trzecim piętrze oznajmiał swe nadejście; jak przekazać ten taniec rąk, to przechylenie głowy, tak jakby sam Naczelny Anioł poruszał swą ulubioną marionetką, pociągał bezbłędnie za sznurki? Kilka tygodni później poznać miałem Dużego Pisarza i do jego pomocy odwołam się teraz, nie, nie po to, by dokonał na moim miejscu tego, co zdecydowałem się zrobić sam, lecz bym ujawniając swą wyższość, mógł dokładnie wyłożyć swoje. Jego ostatnia powieść zaczynała się mniej więcej tak, mniejsza o rok i miejsce wydania: „Kobieta mogła mieć sześćdziesiąt, sześćdziesiąt pięć lat. Patrzyłem na nią z leżaka zwróconego ku basenowi. Stała zanurzona po szyję i śledziła wzrokiem młodego instruktora, który udzielał jej lekcji pływania. Posłusznie oparła się o brzeg basenu, nabrała powietrza i wypuściła je w wodzie. Polecenie wykonała z powagą i gorliwie, i zabrzmiało to tak, jakby z głębi wydobył się odgłos starej parowej lokomotywy. Patrzyłem na kobietę zafascynowany. Zniewalał mnie jej przejmujący komizm, lecz ktoś mnie zagadnął i odwrócił moją uwagę. Gdy w chwilę później chciałem powrócić do mojej obserwacji, lekcja dobiegła końca. Kobieta w kostiumie kąpielowym szła wzdłuż basenu i gdy znalazła się

styl mi się ustał jak woda w szklance – na odwrotności procesu twórczego. Jego sylfida o misternym imieniu Agnès, i tu mu gratuluję pomysłu, trudno by znaleźć bardziej zmysłowe imię, które końcowym, przedłużonym szeptem spółgłoski, kołyszącym szumem „s", okrywa jego nosicielkę drżącym muślinem tajemnicy; otóż sylfida ta powstaje z czegoś, co do jej istnienia w gruncie rzeczy nie należy, co stanowi niezmienną potencję świata bytów, z której kruche jednostki czerpią swoje przejściowe, choć niekiedy tak piękne formy. Ufam niepomiarkowanie Dużemu Pisarzowi, też zacząłem chodzić na basen, a na wspólnym z nim obiedzie jadłem dokładnie to, co on jadł, i nawet w większej ilości, ale muszę z lekkim piórem i ciężkim sercem, ponieważ to on płacił rachunek, zaprotestować. Owszem, wielu ludzi, mało gestów, najlepszym dowodem wasze w tej chwili rozziewane buzie i zaciśnięte pięści, jednakże gesty nie są ograniczonym zbiorem, skatalogowaną kolekcją wyliczonych ludzkich możliwości. Te najlepsze wyskakują z naszych miękkich ciał niespodziewanie i rzadko, i mimo wspólnej nam wszystkim obłości mają własny, niepowtarzalny copyright, oryginalność zastrzeżoną na wieczność. Takiego gestu nikt inny nie powtórzy, różnice mogą być milimetrowe, lecz są wyraźne i trwałe. Toteż ja nie musiałem alchemicznie gestu oczyszczać i z jego niepokalanego, stuprocentowego stężenia wywodzić dopiero odrębny byt, no trudno, mówiąc popularnie, z esencji

stwarzać egzystencję; przeciwnie, na moich oczach doko-
nywało się zjawisko krystalizacji, wysnuwania esencji z egzystencji: to z jej żywego, ruchomego istnienia, własnego
i odrębnego, konkretnego aż po zmarszczki przy oczach,
aż po wystającą nadto kostkę przy przegubie dłoni, jed-
nostkowego do tego stopnia, że mógłbym wręcz zatrzasnąć
oczy, zamknąć się w pokoju, wyjechać na inną półkulę albo
przejść na drugą stronę ulicy i nigdy nie sięgać po długopis
albo klawiaturę, a ono i tak by sobie dalej było i ubierało
się na niebiesko i przychodziło z godzinnym spóźnieniem
na inne spotkania, wydostawał się na zewnątrz ten cud ducha, nagle wyrażony ciałem, i zastygał w mojej myśli, tak
że mogłem przenosić go pamięcią dalej, przesuwać w nowej dla niego, bo już mojej koleinie czasu, póki ten się
wreszcie nie wyczerpie i nie pociągnie także jego w swój
rozpad, w swoje ustanie, lecz wtedy jeszcze może pozostanie w opisie, jeśli go w ogóle opiszę, na dyskietce kompu-
tera, wżłobiony w jej miękką i giętką masę, na czarno skry-
stalizowany, matematycznie utwardzony, wbrew z Góry
przyznanej naszym ciałom filiacji z pleśnią. Pleśnią, którą
mój ulubiony poeta uporczywie rymuje z pieśnią, ale ja
nie chciałbym sprawiać wrażenia, że coś tutaj opiewam,
że przełączam przerzutkę na nieśmiertelność, bo ja nie
mówię przecież do rymu i formy nie pilnuję, nie stawiam
wersetów pod sobą, a gdy za długie, to nie ściubię ostatnich słów po prawej stronie, pół linijki niżej; nawet na aka-

pitach oszczędzam i rozdziałów nie rozdzielam, lecz przyznam, że w tej jednej sprawie jestem stanowczy i gotów zgodzić byłbym się na wszystko, nawet na aleksandryn ze średniówką po szóstej sylabie czy na metrum jambiczne; to był ładny gest i proszę o jego zapamiętanie i o niepomijanie w recenzjach.

Na przedratuszowym placu, gdzie gołębie to z niska, to z wysoka obserwowały ludzkie przypadki i z uwagą śledziły, jak podbiega do mnie coraz szybszym krokiem, podczas gdy ja bez ruchu tkwię w bruku jak delegat przed pomnikiem, ów gest nad gesty zaledwie na chwilę przebudził się do życia i od razu zamknął swoje piękne oko. Ale i tak byłem zaskoczony, prawdziwie zdziwiony nagłym zbliżeniem jej twarzy i trzema przyjaznymi pocałunkami utrafionymi w miejsce, gdzie na policzkach omdlewał cień narzucony przez rondo kapelusza, ustępując pola chropowatej czujce zarostu.

Drogi czytelniku, który przebywałeś w tym kraju nam niedalekim i tak drogim, i nieraz witałeś się i żegnałeś, rano, po południu i wieczorem, z jego obywatelami i mieszkańcami bez obywatelstwa, zapewne teraz ty dziwisz się memu zdziwieniu, przecież tam nikomu bliżej znajomemu, bez względu na płeć i wiek, godzinę i sytuację, nie podasz ręki, jeśli uprzednio solidnie, co nie znaczy gruntownie, się nie obcałowaliście. Przyznaję ci oczywiście rację. Piątek czy świątek, radość czy żałoba, tamtejsze rzesze policzków wytrwale dążą do legionów ust, z wzajemnością bezwzględną, bezlitosną, choćby wciąż te same tym samym i po parę razy dziennie, i jeszcze raz wieczorem; w stolicy aż do sześciu pacnięć, na prowincji tylko cztery. Zwyczaj się zmienia, kiedyś były dwa, teraz ich wielokrotność, lecz najczęściej, w przeciwieństwie do kwiatów, obowiązuje zasada parzysta, równe obdzielanie obu jagód. Nie daj Boże wyjechać na przykład na obóz niesłusznie zwany językowym; zanim dostąpisz zbawienia porannej kawy, czeka cię obchód innych skazanych na braterstwo i więzi doczesne. Co tak goni tych ludzi ku sobie, co im każe od razu wystawiać to, co niemal w nich najlepsze, najczulsze, najmiększe? Dlaczego nie zachowują naturalnego dystansu samotnych drzew, którymi jesteśmy? Dlaczego nie uszanują znaków wrogości, jakie sobie sumiennie przesyłamy, podkrążonych oczu, zjełczałych zarostów, zmurszałych zapachów chemii użytkowej, wyprysków szaleństwa i niezgody na skórę? Nie wiem, nie wiem, całowałem i byłem całowany, i jakoś żyłem.

Ale tu, na placu, ceremoniał uderzył mnie swoją świeżością, tak jakby zdarzył się po raz pierwszy, tak jakby był wstępnym i entuzjastycznym zastosowaniem jakiejś świeżo odkrytej zasady, przecięciem wstęgi do właśnie odkopanej bonanzy. Żadnego pośpiesznego otarcia jej policzka o mój kołnierz, moich ust o dziurę nad jej uchem, ani też odliczonej metronomicznie czterostrzałowej serii, raz,

Zatem uporządkujmy: krok w przód, głowa w bok, i nagły bieg do policzków, nigdy podejście. Ważna jest ta równoczesność, uniknięcie falstartu obu czynności, nożnoprzedniej i głowobocznej, falstartu, który tak bezwzględnie oddziela czarną glebę od deski scenicznej, a życie w prawdzie od życia w teatrze. Tutaj rzecz rozgrywa się w jednym dynamicznym takcie, w chwili pędzącej na zabój, coraz szybciej, póty nie znajdzie swego celu i nie oprze się o gzyms twego ciała. I nikt, kogo stać jeszcze na przełknięcie śliny, nie odsunie się przed tą silą, choćby Eklezjastę znał na pamięć i co dzień odpytywał siebie z kawałka. Nikt taki nie zrobi uniku i nie pozwoli przetoczyć się gestowi dalej, i patrzeć, jak leci na łeb na szyję w przepaść roztrzaskanych serc, komór lewych odpadłych od prawych, bo byłoby to jak spalić wszystkie księgi, a przynajmniej te najlepsze, wymazać z jaskiń wszystkie kolorowe malowidła, melodie rozłożyć na osobne nuty. Ja w każdym razie nie pozwalałem. Tym bardziej że nad wspomnianym już morzem, dodam, że było zimowe i mewy miały zmrożone spojrzenia, do tej powitalnej energicznej czułości, którą obdarzała osoby jej miłe, dołączało się coś bardziej już wyspecjalizowanego, przeznaczonego wówczas dla mnie, i skutecznie blokującego wszelkie myśli o tym, co było i będzie albo nie. Już po uczynieniu pierwszego kroku, już po przechyleniu głowy niezmiennie o ten sam wciąż kąt, wyciągała, niech mi to Konopnicka wybaczy, rączęta, spodem do góry, niczym do pobrania krwi, wypychając na światło zgięcie w łokciu, błagalnie jak ślepiec, niewinnie jak opuszczone dziecko, zaborczo jak gałęzie w dramatach mistycznych. Najpiękniejsze było to, że wyciągała je nie tylko do przodu, lecz i lekko do dołu; na koktajlu w ambasadzie albo galerii żadnej kanapki by w tej pozycji nie sięgnęła, wyglądała raczej jak ktoś, kto pokazuje, że wciąż jeszcze niczego nie dostał i niczego w fałdach koszuli nie ukrył. I tak do celu biegła. Wchodził człowiek, na myśli mam jednak siebie, albo wychodził i nagle wszystko, co było w niej wstrzemięźliwe, pękało i w mgnieniu sekundy całe jej uczucie jak potok wewnętrzny uderzało w te ręce, w te dłonie, w tę twarz. A ja przystawałem nieruchomo, byłem skałą, którą wybierała kropla, byłem niszą dla ogniska i gardłem dla głosu, i miękko przyjmowałem ofiarę na mojej wytartej dżinsowej koszuli, tak by nie spadł barankowi żaden włos z głowy, i wpatrywałem się w siny horyzont, gdzie morze gładko stapiało się z niebem czy też odwrotnie, lecz zawsze na pewno.

Jeśli jesteście wstrząśnięci, wypijcie kielicha, nie zapominając o toaście za te wyciągnięte ręce i za związki między literaturą polską a światową z uwzględnieniem narodowych cech tej pierwszej, bardziej niż inne związanej z życiem, nie zapomnijcie też o morzu. Jeśli nie albo jeśli pijecie już od rana, udajcie się z piękną parą na ten pierwszy spacer od ratusza wzdłuż rzeki i z powrotem do ratusza, zahaczając po drodze o wietnamski selfservice. Gdybyście szli za nami z tyłu, nóg byście już wkrótce nie czuli, za to z pewnością trafilibyście na wietnamską wyżerkę. Gdybyście szli dziarsko z przodu, moglibyście wyprostować naszą niezbyt logiczną marszrutę, gdy każdy napotkany most podważał konieczność istnienia poprzedniego, i zamiast przecinać co rusz rzekę, poszlibyśmy jednym jej brzegiem, a wrócili drugim. W obu przypadkach bylibyście jednak naszą długą rozmową rozczarowani, zresztą kto by zwracał uwagę na słowa, one się nie liczą, nawet jeśli za nie płacą. Toteż od razu przejdę do relacji z obiadu, chociaż usta nam się również i tu nie zamknęły.

Wzbraniała się przed wejściem. Zostało w końcu jeszcze parę mostów do przejścia, poza tym te wzięte z lewego brzegu na prawy czekały na przebycie z przeciwległej strony. No i nie była głodna. Najpierw pomyślałem sobie, cóż, zdarza się, późne śniadanie, wysiłek, niechęć do ostrych przypraw, dieta cud, albo przeciwnie, dieta życia, czy może jakiś przesąd w sobotnie popołudnie: „gdy przez rzekę dwukrotnie choć przejdziesz, nie siadaj do jednego stołu z siwobrodym, bo nieszczęście na siebie i ród swój cały sprowadzisz", czy coś w tym rodzaju, dzieckiem spędziła przecież sporo lat w krainie guseł i wampirów, co mi przed chwilą wyznała. Kiedy jednak weszliśmy, poznałem po jej nieobecnym wzroku, po spojrzeniach rzucanych na sufit z wielokolorowymi lampionami i na smoki ziejące ogniem po ścianach, że jednak coś by zjadła, najlepiej coś, co długo leży na żołądku i zazdrośnie strzeże go przed nowymi inwestycjami; że nawet już może od dawna, choć nie protestowała przeciw żadnym zbrodniom i nadużyciom, niczego nie miała w ustach i głupią herbatą nie rozgrzała ciała i że, w głowie nowe odkrycia pękały mi teraz szybko jak ryż dmuchany, przy duszy pewnie też nie ma grosza. W jakiś czas później dogotowała się we mnie i ta świadomość, że ona nigdy nie wyzna, iż jest głodna, że ją ssie, że powinna coś zjeść, że nie może wyjść bez obiadu i tak dalej, choć wciąż podobnie, że taka wypowiedź nie należy do jej ludzkiego bagażu, jest dla niej wybrykiem natury jak szósty palec czy trzecie oko. I nie sądzę, żeby i w tym warto było ją naśladować, siebie nie przeskoczycie, innych nie zadziwicie, a mnie i tak się nie przypodobacie, w głowie mam tylko jedną drabinę i już ktoś na nią wszedł. Śmiało zatem wyciągajcie wasze pulchne łapy po kolejne kanapki, ja zaś podzielę się dalej na piśmie, bo buzię też mam pełną, tą oto refleksją: nie chodzi w tym wszystkim tylko o brak pieniędzy i o wstyd przyznania się do głodu. Aby to zrozumieć, należy wyobrazić sobie coś bez końca. Spacer bez końca, leżenie bez końca, jazdę bez końca, kąpiel bez końca. Mlędzenie bez końca proszę pominąć. Tak właśnie żyła, podczas gdy inni zamykali jedne rozdziały i otwierali nowe, odsuwali jedne krzesła i siadali na drugich, oglądali jeden program i przełączali się na drugi. Nawet jeśli film

było przejść się jeszcze tą uliczką w prawo, potem okazało się, że jak to w bywa mieście, dalej znowu można było w prawo, a potem w lewo i prosto i dalej już jak kto chce. Szliśmy więc przed siebie, powoli, mijając oświetlone bulwary i ciemne pasaże, skręcając, jak mi się wydawało, coraz bardziej na oślep, dopóki baczniej jej się nie przyjrzałem. Szła niemal majestatycznie, choć tak blisko mnie, nie zwracając uwagi na metry, a potem już kilometry, i to podwojone, jeśli liczyć drogę z powrotem, nie mając kompletnie pojęcia, gdzie się znajduje, podczas gdy ja wytężałem oczy, by dojrzeć nazwy ulic i zachować jakiś pozór znakowanego szlaku, którym można wrócić, tak jak się przyszło, i by zauważyć na czas czarnego luda z nożem w wyblakłej dłoni; i pojąłem, że ona nie idzie na oślep, gdyż idzie donikąd, tam gdzie jest wciąż tak samo i to samo wciąż. Noc mogła mijać, i zresztą mijała, ciemne chmury ustępować miejsca pierzastym zwiastunom zorzy, życie mogło płynąć, sen odchodzić i przychodzić, głód trwać i zanikać i wściekle powracać, serce słabiej bić i nic nie wstrzymałoby jej kroków, i żaden kronikarz nie miałby tu niczego do odnotowania, jeśli nie zapoznał się wcześniej z pojęciem długiego trwania i nie włożył wygodnego obuwia firmy Adidas, która sponsoruje tę książkę. Szła, jakby z cząstek, którymi jesteśmy, robiła całość, a z bezkresem nie miała zatargów granicznych. Szła po nieznanym bajkowym lesie, ona Alicja w Krainie Czarów, a ja Tomek na Czarnym Lądzie, a może nawet na Tropach Yeti, omijając psie gówienka. Skupiona, lecz otwarta, lecz bliska, i nic nie stało na przeszkodzie, żeby wejść w ten sam prąd i dać mu się ponieść, patrząc, jak za nami zostają domki i wieże, kolumny na cześć zdobywców i kolorowe zbitki samochodów, światła czerwone i zielone, i bramy z fioletowymi świetlikami. Gdzie tam, dość tego brodzenia, wreszcie zdecydowałem, czeka nas nowy dzień. Nie była przekonana, nie przyszło jej to do głowy, chciała teraz mnie odprowadzić, wreszcie zgodziła się, że nie położy się przez następną godzinę, dopóki nie zajdę do siebie. Wracałem szybkim krokiem, od czasu do czasu przemykały obok albo mijały mnie w drugą stronę jakieś dziwne postaci, krzyczące, sapiące, łkające czy mówiące pod nosem; to miasto wysyłało na przeszpiegi wstającego dnia swą najbardziej niecierpliwą awangardę. Siebie miałem raczej za spóźnialskiego i z jękiem rozkoszy rzuciłem się na łóżko odrabiać straty retro z godzin nocnych. A ona pewnie długo jeszcze stała sama w oknie, rozświetlając ciemność kuchni połyskiem swych jasnych włosów i przemierzając miarowym mruganiem powiek, tak jak przed chwilą wolnym krokiem, swoją nieskończoną przestrzeń nocy i dnia, i długo jeszcze zbierała po drodze bezkorzenne kwiaty o dziwnych kształtach, o pomieszanych barwach, i głaskała przydrożne kamienie. Lecz nie sądźcie mnie, proszę, dzisiaj. Nabierzcie wody w usta. Umyjcie zęby i też spocznijcie; obok, gdzieś blisko.

ką redukcję, pod tym wszakże warunkiem, że masa likwidacyjna została nałożona jej imiennie, na jej talerz. Jadła to, co jej podano i przyniesiono; zasiadała przed obowiązkiem do wykonania, brała się do zadania, które w sposób naturalny postawiło przed nią życie, tak jak stawiało wiele innych zadań. I to już uwaga dodatkowa dla poprawiaczy świata, dla tych, co stosują syntezę i są dumni ze swego człowieczeństwa – pokazywała, że można też inaczej: że zwycięstwo wyobraźni niekoniecznie polega na tym, iż trzeba mieszać składniki proste w celu uzyskania lepszych efektów i wyższych jakości, bo na przykład ona nie dosalała, jeśli było nie dosolone, i solniczki mogły spokojnie zasklepiać przy niej swoje otwory; ona nie łączyła tego, co rozłączone; jeśli oddzielnie podali ryż i papkę do niego, kaszę z jednej strony talerza, a gulasz z drugiej, do głowy jej nie przyszło użyć widelca jako trzepaczki, by je ze sobą wymieszać, zmienić im naturę, a sobie smak, przyjmowała ich istnienie w postaci nieskażonej, Bogu ducha winnej. Ale nie pytajcie, czy sałaty też sobie nie doprawiała, czy najpierw spożywała zielone, a potem octowe, czy na przemian, przecież w końcu macie tu do czynienia z literaturą.

Teraz widziała przed sobą wietnamską potrawkę odgórnie wymieszaną i tak kopiastą, że nawet koń trojański by się uśmiał i odmówił, i powoli pozbawiała ją podłoża, skubiąc też dla kontrastu niekiedy coś z wierzchu. Śledziłem bacznie to przenoszenie góry; sam pierwszy okazałem się mistrzem tranzytu i czekałem spokojnie, aż skończy, zastanawiając się, po co brałem dla niej dużą porcję, skoro z moją ledwo się uporałem. Wkrótce i jej pałeczki nadziały się na białą taflę, stuknęły zwycięsko i chciałem już uznać naszą tektoniczną pracę za zamkniętą, gdy zwiedziony jej niskim spojrzeniem i mocniejszym pulsowaniem niebieskich żyłek skroni, tych od wyrażania sedna, odczułem namacalną obecność w niej głodu, gorzki wyziew pustki. Pewnie się myliłem, nie skojarzyłem transcendencji nasycenia z immanencją ssania w dołku; faktem jest, że pognałem w oślepieniu po następną porcję, narażając się na bezgłośną refleksję Wienamczyka nad łakomstwem białej rasy. Tryumfalnym gestem ojca, bankiera i lekarza w jednej osobie i durnia w postaciach trzech złożyłem ją przed jej nosem, podsuwając dla zmiękczenia uroczystej chwili także swoją miskę. Zaprotestowała ogólnie, tłumacząc, że już nie może, ale zbawiciele nie z taką naiwnością i apatią miewali do czynienia, słabości ludzkie i ludzkie potrzeby przenikali jedną myślą i rozpraszali jednym ruchem, chlups, połowa ciapy wylądowała na owalu jej talerza. No i wiecie, co nastąpiło; nastąpiło zrozumienie i akceptacja, sprawa odporności przełyku i pojemności wnętrz zeszła na drugi plan, rozpoczął się na nowo duchowy wysiłek przemiału, bo oto życie powtórnie mrugnęło do niej zielonym światłem i kazało iść przed siebie narzuconą drogą, każdej cząsteczce warzywa wykazać wyższość i nie przepuścić

liwi i mniej elokwentni zapisali już na karteczkach. Niepotrzebnie, ja się wywiązuję z obietnic, trzymam rękę na pulsie mej przeszłości i na ekagie mej opowieści, każde przyśpieszenie i krecha w górę będą odnotowane. Więc nie, nie, wciąż nie, choć już bliżej: jeszcze żadnego wyznania, rzutu w ramiona i innych znamion wyczerpujących fakt skojarzenia; ja, to już wiecie, wolno się rozgrzewam, natomiast za późno wyłączam motor; ja do konkurencji wchodzę w ostatniej chwili, gdy już inni wykonali parę okrążeń. Być może ona zdążyła parokrotnie mnie zdublować; czułem, gdy dochodziliśmy do ratusza, gdzie będą później brały początek i znajdowały koniec nasze liczne spotkania i nieliczne nieporozumienia, że przestrzennie rzec ujmując, mogłaby iść razem dalej, przejść ze mną przez rzekę i zanurzyć się w uliczkach mojej dzielnicy, a gdybym przypadkiem je minął, kierując się na południe, ku bramom miasta i horyzontom równin i odległym wzgórzom, i tam również podążyć, a potem ewentualnie wrócić metrem na gapę. W jej obecności poczułem ciepło i wdzięczność, nie za to, że u Wietnamczyka wziąłem repetę, choć zapewne pierwszej porcji nie należy tu lekceważyć, lecz za coś bardziej ogólnego, za samo bycie obok na przykład, w tym samym mieście, na tej samej ulicy, przy tym samym stole. Ta ciepła fala, opowiadam wciąż o swoim odczuciu, wypełniała ją, tak jak życzliwy gaz ożywia powłokę; rosła w moich oczach i zaokrąglała się, coraz bliższa kształtu idealnego do wina. I teraz widzę to samo i pobieram to ruchome ciepło, tyle że już w innym miejscu i w innym czasie.

STRIP-TEASE W DOMU POD DRABINKĄ

Nick nie jeździł tam nigdy. Nie jeździł tam, będąc dzieckiem, nie pojechał, gdy jako młody chłopiec włóczył się w tamto skwarne lato po wsiach i traktach przedgórza i południowymi godzinami sypiał w stogach świeżo zebranego siana, wśród brzęczenia much i ważek. Nie zajrzał też tam później, gdy kupił już sobie samochód, ściął włosy i skrócił brodę i obwoził po miastach mu znanych i nieznanych, po zamkach i pałacach godnych zwiedzenia, po ustroniach pełnych ciszy, kobiety, które adorował. Nick sądził, że nie trafi tam i tym razem.

Nie, nie było to miejsce zakazane ani nadto odległe. Na mapie znaczono je wyraźnie, i choć niemal ocierało się o prawy dolny róg, to wszak pozostawało w zasięgu niepełnego baku benzyny. A jednak nie oglądał go nawet na mapie. Odczuwał je jako coś mitycznego, coś, co nie należy do zwykłej geografii, istnieje na wpół rzeczywiście, zawieszone bardziej w jego wyobraźni niż osadzone na ziemi.

Czy zatem chodziło o strach? Czy czegoś się lękał? Że zobaczy tam siebie, spacerującego po ulicach przeraźliwie obcych, choć tak mu bliskich, że odkryje tam pustkę i samotność? Czy może raczej odwracał się od przeszłości, którą to miejsce wyznaczało w jego myślach do tego stopnia, że pojęcie czasu minionego przybierało widmową, lecz dostrzegalną, materialną postać spękanych murów i szarego, nierównego bruku, i czarnych, ziejących bram w domach o zmurszałych fasadach? Nie wiedział tego dobrze. Gdy wjeżdżali do miasta wieczorem, od strony zachodniej, szeroką czteropasmową aleją, która wkrótce ścieśniła się w ulicę o coraz wyższych zabudowaniach, powiedział do Marjorie:

– Nigdy tu nie byłem.

Milczała, uważnie wpatrując się w mijane budynki, i Nickowi sprawiały przyjemność i to milczenie, i ta uwaga. Musieli teraz szybko znaleźć hotel, żeby przed zmierzchem obejrzeć miasto i odszukać dom.

Jechali tu prawie cały dzień i raz tylko zatrzymali się na rozległej stacji benzynowej, gdzie zajeżdżały samochody o obcych rejestracjach, a kierowcy nabierali wody w smukłe plastikowe butelki przed czekającym ich długim postojem na granicy; i drugi raz w pałacu zamienionym na hotel i restaurację, w której zamówili dwie zupy oraz kawę i jogurt. Nick lubił patrzeć na Marge jedzącą jogurt, podobała mu się powaga na jej twarzy, gdy oblizywała łyżeczkę.

Kiedy Nick obudził się poprzedniego ranka, mgła za oknem zasłaniała góry i wkrótce zaczęło padać. Marge oddychała równo, ale wiedział, że już nie śpi, zawsze budziła się przed nim, tak jakby obawiała się własnego snu w chwili, gdy on powraca do dnia. Zastanawiała go od dawna ta wierność przebudzeń. Nagle poczuł, że chce jechać dalej, właśnie tam.

– Może pojedziemy dalej? – spytał.

– Dobrze, jeśli tak chcesz – odpowiedziała. Jedyny hotel mieścił się przy kwadratowym rynku, po przeciwległej stronie domów z podcieniami, w budynku równie jak one starym. Gdy weszli, w ciasnej klatce z telefonem, którą uznali za recepcję, nikogo nie było i rozglądali się z zaciekawieniem po rozległej, wysokiej studni hallu z wystającą nad ich głowami wewnętrzną galerią. Niesymetrycznie wbite cztery drewniane pale pomagały trwać sklepieniu, na którym pozostały ślady dawnych ornamentów.

Podobne ślady dostrzegli w pokoju, do którego zaprowadziła ich recepcjonistka w białym fartuchu z plamami po piwie serwowanym w hotelowej kawiarni; odkryli też zamurowane drzwi i domyślili się miejsca, gdzie stało kiedyś pianino. Podczas gdy Marge szykowała się do wyjścia, Nick otworzył jedno z czterech wysokich okien wychodzących na rynek. Spod ratusza zniknęły już wszystkie samochody. Po drugiej stronie, w progu kawiarni stał kelner i patrzał na pusty plac.

– Ciekawe, gdzie to jest – rzekł Nick półgłosem, gdy wyszli z hotelu ubrani w ciepłe swetry.

– Może spytasz kogoś – powiedziała miękko Marge, tak jakby stawiała go przed trudnym zadaniem – na pewno wszyscy wiedzą.

W samochodzie wyjaśnił jej, że jest tam teraz jakiś klub, bilard czy coś w tym stylu, pierwszy taki klub w mieście.

– Nie, znajdziemy sami, to na pewno niedaleko – zdecydował teraz.

Skręcili w lewo i uszli zaledwie parę kroków, neon z angielską nazwą zaświecił im prosto w twarz.

– Co za traf – wykrzyknęła Marge – spędzimy noc tuż obok.

Dom był niski, lecz masywny, na świeżo odmalowanej fioletowej fasadzie połyskiwała czysta biel okiennych obramowań. Sąsiedni dom, przylegający do niego z prawej strony, był szary i zaniedbany, z lewej ceglany łuk łączył go z wysokim budynkiem. Po wycięciach okien i frontonie poznali, że była tu kiedyś bóżnica. Przez prześwit między domem a starą synagogą widać było skrzydło pobliskiego kościoła.

W korytarzu wiodącym do pomieszczeń rozrywkowych pulsowały kolorowe żarówki. Nick policzył, że czerwonych jest dwa razy więcej niż zielonych i niebieskich, a żółta jest tylko jedna. W głębi dwóch młodych mężczyzn grało na pieniężnych automatach, pociągając za rączkę maszyny równo odmierzonymi ruchami.

– Chcesz zagrać? – spytał.

Marge spojrzała na niego zdziwiona, uśmiechnęła się i po chwili na wszelki wypadek zaprzeczyła głową.

W salce dyskotekowej nie było gości i światła reflektorów zawieszone na krzyżowym sklepieniu, jakie widzieli wcześniej w zamku, padały prosto na pusty parkiet. Młody mężczyzna za kontuarem przyjrzał im się bacznie. Zamówili po kieliszku białego wina i usiedli w rogu na kremowej skórzanej kanapie.

– Zobacz, nawet je zmrozili i podali w kieliszkach do białego wina – stwierdził Nick. – To dobrze. To cholernie dobrze.

Z głośnika leciała rockandrollowa transkrypcja klasycznego utworu.

– Zobacz – powiedział Nick, przytykając dłoń do kanapy – to żaden skaj, prawdziwa skóra, świetna, bardzo tu pasuje. – Elektryczna wersja klasyka ustąpiła miejsca pierwszym taktom modnego przeboju. – Fajne to oświetlenie. I wszystkie żarówki świecą. Może tylko trochę za mało żółci, jak dla mnie.

– Co ci jest, Nicku? – spytała Marge.

– Nie wiem – odpowiedział Nick, przechylając kieliszek.

W chwilach gdy muzyka cichła, zza ściany dochodziły głuche uderzenia kul bilardowych. Mężczyzna za kontuarem spojrzał na Nicka.

– Jeden stół jest wolny, jeśli państwo sobie życzą.

– Tak, chętnie – odpowiedział Nick, nie patrząc na Marge.

– Zaraz zapalę światło – rzekł mężczyzna. – Za tą salą, gdzie grają, jest jeszcze jedna. Niewielu dzisiaj gości.

Minęli graczy w dżinsowych koszulach, pochylonych nad stołem pełnym czerwonych kul. Sala była przestronna, oklejona zielonymi tapetami. Na drugim stole kule ułożone były w trójkąt, zaczynała się pewnie nowa tura.

– Dlaczego nie mają muszek? Powinni, psiakrew, nakładać muszki, jak już tu przychodzą – szepnął Nick do Marge i zaśmiał się krótko.

– I czarne buty. A nie sandałki – dodała Marge.

– Lakierki.

– Właśnie, lakierki.

Gdy mężczyzna wyszedł, objaśniwszy sposób liczenia punktów, Nick rozbił z impetem trójkąt i patrzył, jak kule rozbiegają się panicznie na wszystkie strony.

– Alarm lotniczy – powiedział głośno. – Szczucie psami. Albo łapanka. Najpierw starcy i z tyfusem.

– Spójrz, biała wpadła do siatki, to co teraz? – spytała Marge.

– Nie wiem, zdaje się, że trzeba ją ustawić z powrotem – westchnął Nick. – Ona jest zawsze w grze.

Wrócili do baru zjeść coś ciepłego. Były tylko hamburgery i bulion. Zamówili herbatę z rumem. Na wciąż pustym parkiecie migały kolorowe punkty świateł.

– W sobotę przychodzi pewnie więcej ludzi? – zapytał Nick mężczyznę.

– Więcej, ale w ogóle to jest źle; ludzie zaczęli oszczędzać, no i konkurencja. Zaraz tu obok, na rynku, dopiero co otworzyli.

– To samo?

– Tak, bilard, dyskoteka, teraz taka moda. Na początku dobrze szło.

Mężczyzna mówił cichym, spokojnym głosem i Nickowi podobał się jego życzliwy uśmiech. Podobało mu się też, że mężczyzna nie ma na palcach grubych złotych sygnetów. A może zresztą szkoda, pomyślał.

– To co z tym będzie? – spytał po chwili.

– Trzeba trochę urozmaicić, rozumie pan, dodatkowe atrakcje, w takim małym mieście wszystko jest nowe. Wie pan, jakie w tym domu są piwnice?

– Wiem – powiedział Nick i poczuł na swym ramieniu rękę Marge. – Ktoś mi wspominał.

– Panie, tam można by cuda urządzić, tylko trochę się sypie – mężczyzna mówił teraz szybciej.

– Nie zechciałby pan nam ich pokazać, tak raz-dwa, pani się na tym trochę zna – powiedział Nick, lekkim ruchem głowy wskazując na Marge.

Piwnice były ogromne i głębokie, dwupoziomowe i musieli dwa razy schodzić po stromych schodach, oświetlając zejście latarką. W niektórych miejscach dostrzegli zamurowane łuki i przejścia, prowadzące kiedyś do siedemna-stowiecznych podziemi. Marge wyjaśniła, w jaki sposób sprawdza się trwałość fundamentów.

– Idealne miejsce – powiedział mężczyzna. – Można by tu zrobić prawdziwy nocny klub. Występy, kabaret, nagie panienki, kulturalnie. Żeby tylko pozwolili. Już mieli pretensję, że bilardu nie poświęciłem. Próbowałem raz na górze, ale tam mało miejsca.

– A ten otwór, tu, w sklepieniu? – spytał Nick.

– Zejście prosto z sali bilardowej – wyjaśnił mężczyzna. – Widzi pan te schody w spiralę, tam w kącie, to właśnie do tego.

Gdy wrócili na górę, Nick zamówił dwa wina i poprosił mężczyznę, żeby sobie też nalał. Mężczyzna podziękował i wzniósł bez słowa kieliszek.

– Zatańczmy raz, zanim pójdziemy – powiedział Nick, wpatrując się w plakat reklamujący amerykańskie papierosy. Stary człowiek o krótko ostrzyżonej siwej brodzie patrzył w morze z werandy swego domu, niedbale otwierając prawą ręką błyszczącą paczkę.

– Naprawdę chcesz, Nicku? – spytała Marge.

– Tak, Marge, naprawdę. Poczekajmy na coś wolnego.

Przepuścili kilka szybszych utworów, małymi łykami popijając wino. Było jeszcze bardziej zmrożone niż przed chwilą. Do sali weszła para, chłopak w dżinsowej kurtce i wysoka dziewczyna; miała na sobie sukienkę w duże barwne plamy. Zamówili dwie coca-cole i wyszli na korytarz, do automatów. Przez chwilę unosił się zapach mocnych perfum.

Rytmy wreszcie osłabły i Nick, odłożywszy kapelusz na kanapę, poprowadził Marge na parkiet. Przytulił ją mocno do siebie i za każdym razem, gdy robili obrót, widział przed sobą puste stoliki, skórzane kremowe kanapy i ciężkie kotary w oknach. Gdy muzyka zamilkła, wyszli, skinąwszy głową mężczyźnie. Wpatrywał się nieruchomo w rząd butelek, lecz uniósł się, by ich pożegnać.

Skierowali się w stronę skąpo oświetlonego rynku. Nick poczuł, że chciałby coś powiedzieć, lecz nie wiedział jak.

– Chciałbym coś powiedzieć, ale nie wiem jak – rzekł.

– Wiem, Nicku, wiem – odparła Marge.

– Przejdziemy się po mieście?

– Tak, gdzie tylko chcesz.

Obeszli wzgórze, na którym rozciągała się najstarsza część miasta, zeszli niżej i wdrapali się na wzgórze sąsiednie, mniejsze, ich uwagę przyciągnęły mury warowne. Za murami stał, ukryty w listowiu, klasztor; przed wysoką bramą wejściową dwie starsze kobiety rozmawiały z zakonnicą. Wrócili na stare miasto, podeszli pod cerkiew i w milczeniu przypatrywali się jej złoceniom. Ciemnymi uliczkami przedostali się, nie dochodząc do rynku, na duży, trójkątny plac, którego jeden bok zajmowała kolegiata. Potem jeszcze włóczyli się po skarpie i spoglądali na rozciągającą się w dole ciemną równinę. Przeszli z powrotem na rynek i okrążyli go podcieniami. Nie dochodząc do hotelu, zawrócili, przecięli rynek, przeszli koło ratusza i zanurzyli się w ulicę prowadzącą do nowej części miasta. Po chwili jednak skręcili i znaleźli się na tyłach kolegiaty, skąd ruszyli raz jeszcze w stronę cerkwi. Po drodze minęli kilka zupełnie ciemnych budynków, jeden wydał im się starą synagogą. Była mniejsza od tamtej. Nie dochodząc do cerkwi, trafili na krótką alejkę z trzema ławkami. Przysiedli na środkowej.

– Nie wracajmy jeszcze do hotelu – powiedział Nick.

– Oczywiście – powiedziała Marge – możemy iść dalej. Jak długo chcesz. Nie musimy się dzisiaj kłaść.

– Czasami ich widzę, wszystkich – rzekł Nick po chwili – choć nie znam ich twarzy. Więc widzę tylko puste owale.

Ruszyli przed siebie. Marge szła pół kroku za Nickiem i Nick czuł jej bliskość. Atomowe serce Marge, myślał. Nigdy się nie zatrzyma. Takie ciepło. Wypełnia ją jak ożywczy gaz. Piękny, kolorowy powietrzny statek.

– Chciałbym tu jeszcze zostać – powiedział Nick, gdy wrócili do hotelu. Za oknami dniało. – Dzień albo dwa. Ale nie mamy czasu. Myślisz, że tam już jest wiosna?

– Nie wiem. Bardziej niż tutaj – odparła cicho Marge.

Nick znalazł na dnie torby kawałek czekolady. Zjedli po kostce i położyli się. Zza okien nie dochodził najmniejszy nawet dźwięk.

– Czy możesz mi zrobić rano zdjęcie z domem? – spytał Nick.

– Tak, pewnie.

– Wiesz, może nawet lepiej, że tam będą tańczyć nagie dziewczyny. Nawet to mi się podoba. Nie wiem dlaczego – powiedział Nick, poprawiając poduszkę.

Spali krótko, lecz mocno. Ranek był mglisty i padało. Marge zrobiła zdjęcie i ruszyli w drogę bez śniadania. Gdy wsiadali do auta, mgła nad miastem zaczęła się unosić.

Minęły kolejne dni. Jeden, drugi, trzeci, czwarty. W połowie piątego zacząłem zastanawiać się nad szóstym, siódmym i ósmym. Czy pozwolę im cicho pukać do mych drzwi, przynosić od rana wyliczone kwantum czasu jak mleczarz butelkę, albo najwyżej dwie? Czy może też wyjdę im naprzeciw, drzwi szeroko otworzę, i stając w progu w podkoszulku i z petem w ustach, krzyczeć będę: wchodźcie, wchodźcie, już nie mogłem się was doczekać, i powiedzcie, co mam dziś włożyć, na natłok zdarzeń i burzę uczuć? Tę koszulę w modnej tonacji blacry, jeśli blachy ptak nie obrał? Tę bluzę z jednym numerem z przodu i z innym numerem z tyłu, tak jakby człowiek miał dwa wcielenia, albo tę drugą z wyhaftowaną nazwą uniewersytetu, którego nigdy nie skończyłeś? Czy może raczej sweter z komputerową kombinacją wzorów, żeby ukryć swoje poglądy? No nic, dnia dziewiątego wsunąłem się w moją starą marynarkę i pośpieszyłem na drugą stronę rzeki, były sprawy do obgadania, szale do przechylenia.

Przesiadywała w przestronnej, paropiętrowej bibliotece, o której nowoczesnej architekturze krąży tyle żartów i dowcipnych metafor, że ja się wycofuję, mam inne problemy do opisania, bo do czego na przykład porównać, z czym powiązać paroosobowe grupki facetów, czy też ich zestawy indywidualne, otaczające ją, pochyloną niezmiennie nad książką, albumem czy czasopismem? Do stadka sępów czyhających na chwilę nieuwagi i ustanie w niej bicia serca, do sfory wilków zacieśniających obwód i czekających na zagaśnięcie ognia jej źrenic, czy banalniej: do zmusowanych butelek szampana, proszących błagalnie, by wysadzić je w powietrze, albo do dorodnych liter alfabetu, wołających o końcową kropkę lub choć przecinek. Koledzy z zajęć, przyjaciele ze staży, znajomi z biblioteki w swetrach o wyszukanych wzorach, w błyszczących koszulach koloru stali. Może przesadzam, może mam skłonność do zbliżania ludzi kosztem przedmiotów, w końcu przed nimi też leżały otwarte książki i odbezpieczone długopisy, ale z drugiej strony już mnie znacie, jak coś naprawdę zauważę, to nie przepuszczę. W każdym razie, a w tamtym na pewno, gdy podchodziłem do jej stołu, minęła mnie ze świstem czarna czupryna i piękna smagła twarz z dwudniowym zarostem i pomachaliśmy sobie na pożegnanie ramionami, wzruszając je do niemożliwości; zobaczyłem go w życiu po raz drugi i po raz drugi o nim wspominam, gdy wspomnę po raz trzeci, zagości między nami dłużej, lecz nie na zawsze. Prawdą jest, że wszyscy wiedzieli, gdzie ją znaleźć, gdzie sprawdzić, co czyta, a co przepisuje. Tu był przecież jej dom, tu miała swoje krzesło i stół, zaplecze sanitarne, telefon i telewizję, tu mogła nawet chwilkę podrzemać, tu nie jadała, tu marzyła o jutrze podobnym do dzisiaj. I tylko późnym wieczorem, gdy dom zamykali, żeby jej posprzątać i przewietrzyć, wracała na noc do obcej kuchni, powoli, piechotą, bo po co wsiadać do metra, jeśli jedzie tą samą trasą, i gdy przebyłem z nią tę drogę trzy razy, za każdym razem odciski biorąc w nawias, choć zostawiając je w bucie, i gdy w kuchennym mauzoleum zobaczyłem łoże z zimnych kafelków pod nieczynnym kaloryferem, zrozumiałem, że jest po co do biblioteki wracać, że warto tam iść, by usiąść sobie miękko na krześle, a nawet zwalić się z hukiem, i by długo, możliwie jak najdłużej przypominać sobie teksty, które się czytało przed wyjściem, a może nawet i przed przyjściem na świat.

Do połowy jesieni i od wczesnej wiosny było to też, choć dość rzadko, jej miejsce pracy. Wystarczało podjechać jedno piętro na górę i potem zjechać trzy, usiąść na składanym krzesełku albo na grubej książce, wyciągnąć papier z narysowaną kiedyś czyjąś buzią, rozpiąć go na tekturze i obgryzając niecierpliwie ołówek czekać, aż trafi się frajer czy też żona frajera, którzy poproszą o portret, a potem za niego zapłacą, gdyż zawsze znajdzie się ktoś, kto nie ma lustra w domu albo jednego mu nie dość, ktoś, kto lubi mieć siebie za sąsiada, ktoś, kto dojrzał siebie w świecie pełnym form i chce to uświetnić. Wystarczało, ale nie w jej przypadku, tu w grę wchodziły zmasowane kwestie, rozbieżne interesy i sploty niedostatków, nie, nie chodziło o brak miejsca, jakimś trafem zawodowi portreciści wpuszczali ją między siebie i udzielali skrawka ziemi na tym najpopularniejszym w dzień placyku miasta, nie chodzi też o brak talentu, mogę powiedzieć, że rysowała nieźle, a dowodów dostarczy przyszłość, zresztą chyba już teraz wierzycie mi na słowo. Rzecz rozbijała się o nadmierną podaż siebie przy niedostatecznym na siebie samą popycie. Tak wysiadywać godzinami, wystawiać się na spojrzenia innych, wezmą, nie wezmą; tak tkwić, proponując swój czas, materiał i dar boży, uśmiechać się magnetycznie, zachęcająco podtykać pod nos próbki swej kreski, tak otwarcie obecnym ciałem świadczyć o talencie zmysłów i trafnym oku wyobraźni, podczas gdy potrzeby ma się niewielkie, a żołądek skurczony, gdy autoprezentację ogranicza się do zbędnego minimum, tyle żeby można nas było odróżnić od innych, a na uważne spojrzenia klientów reaguje się gwałtownym zasłonięciem okna, spuszczeniem kotary, opuszczeniem sceny.

Tyle otoczki faktów, które nastąpiły bądź nastąpią, wróćmy na pierwszy poziom biblioteki, najpierw trzy piętra w górę, a potem wewnętrznymi schodami jedno w dół, mijając po drodze piękną, niedogoloną twarz wbitą w żałobę czarnej grzywy, lecz pędzącą radośnie na zatracenie, tak, tak, i zrównajmy się z sobą samym, czyli dla mnie ze mną, w chwili gdy już do artystki podchodzę i mówię: cześć, czy coś robimy z tym wyjazdem, chciałbym tam z tobą jechać. Uśmiecha się niewyraźnie i rozgląda ostrożnie wokół, sprawdzając, czy już nikt przy niej nie pozostał, czy nikt mnie nie dojrzy w nieoczekiwanej bliskości i zaraz, jak tylko odłoży książki i spakuje notatki, i dokładnie zapnie kurtkę, wyznaczając szalikowi rolę niezbędnego podkładu i kością na karku idealnie wymierzając jego punkt środkowy, wyjdziemy stąd w odwrotnej kolejności pokonanych wcześniej pięter i pójdziemy przed siebie, lecz na pewno w stronę rzeki, i najpierw, po tym jak już odmówi kolacji, pogadamy o innych rzekach w naszych oddzielnych życiach, o rzekach dzieciństwa i rzekach wciąż nieznanych, a potem o wodach szerszych i brzegach rzadszych, o jeziorach cichych i świteziach tajemnych, o morzach w kolorach smutku i radości, a gdy dochodzić będziemy do mostu artystów, skąd pięknie jest patrzeć w lewo i dobrze jest patrzeć w prawo, skupimy się już nad jednym tylko morzem północnym, nad którego brzegiem stoi dom gościnny z tanimi miejscami dla czterdziestu stypendystów na świąteczny odpoczynek i nowo-

Tak, to prawda, nie wspomniałem wcześniej, że rano padało, lecz nie wspominałem również o tym, że około czwartej na chwilę wyszło słońce, że idąc na most, przeszliśmy jedną ulicę na świetle zielonym, a trzy inne na czerwonym, że w bibliotece potknąłem się o książkę, gniewnie rzuconą na podłogę przez czytelnika, który jak wy wierzy książkom, że miała na sobie koszulę bordo z grubej flaneli, że zatrzymaliśmy się przy ciągu wystaw domu towarowego, gdzie za szybą z okazji zbliżających się świąt mechaniczne kukiełki odgrywały bez zmrużenia oka sceny ze szczęśliwego życia ludzkości i przychylnego jej świata flory i fauny, ze wzruszającą preferencją dla zwierząt futerkowych. Musimy to jednak sobie wybaczyć, wy mnie ten brak uwagi, ja wam wasze pragnienie precyzji, bo wbrew radosnemu tańcowi kukiełek, wbrew pluszowym misiom grającym dla nas przed Nowym Rokiem na saksofonach, wiewiórkom wytupującym dla nas rytm ogonem i bobrom zasiadającym przy naszych stołach wigilijnych z nadzieją, że podadzą coś dobrego, jesteśmy wszyscy biedne ludzie, jesteśmy egzystencje w formie sita, i choćbyśmy przymknęli oczy najmocniej, jak potrafimy, zacisnęli tak silnie, jak można, usta i żelazną obręczą dłoni otoczyli skronie, nie uchronimy się przed stratami, przed wypływem i odciążeniem; sekundy ze swoimi drobiazgami, w swoich pięknych przybraniach i w roboczych ciuchach będą od nas odskakiwać jak znudzone pchły, wy-

żywają więcej od innych, obrady przy stole, naczynia zmywają kobiety, jednak już bez rytualnych pieśni. Ja po lewej stronie, ona w środku, on po prawej, triumwirat klęski niedługo przed Bożym Narodzeniem. Ja wstaję, peroruję, wznoszę toast; on siedzi, milczy, pije. On wstaje, peroruje, wzniosę toast, myślę sobie, za późno, milczę, piję. On coś do niej po cichu, ona do mnie półgłosem, ja do sąsiadki głośno, sąsiadka w ryk. Fala powraca, sąsiadka wciąż chichocze, ja przedłużam, ona się uśmiecha, on kiwa głową. Nakładamy sobie po nadziewanym pomidorze, ona wybiera marchewkę. My po kotlecie mielonym, ona kiełbaskę z rożna. Ale coraz bardziej pewny swego, włosy rozpuścił, gumkę starannie schował do kieszeni i już z nią o ich sprawach, zawód podobny, to może i perspektywy te same. Ja kapelusz wkładam, żądam bluesa, już puszczają z kasety, kiwam się miarowo, Missisipi, szeleści sąsiadka, byłam tam kiedyś, zatańcz ze mną. Układ pęka, jedno lustro się rozpada, kroczę swoją bawełnianą drogą, uśmiecham się do Murzynów, zasłaniając ręką napis „Cottonfield" na mojej koszuli, robią nam miejsce na parkiecie przy szafie z cukrem, makaronem i jej książkami, i już mnie tu nie ma, już się kręci koło parowego statku, a my z nim coraz śmielej i wytrwale, sąsiadka rzeczywiście tam była, miała w sobie skowyt i nie mierzyła kroków, czasem puka ktoś, to puka moje serce, nucimy i tylko w przerwach biegnę za chatę wuja Toma dolać sobie whisky. Nagle koło się zatrzymuje,

cie przywołać dzieci, będzie łączony numer, z klownami i z tresurą lwów. Jak bowiem inaczej określić nasze przemienne pielgrzymki na Tylny Ołtarz, by złożyć ofiarę ze swego smutnego uśmiechu, przynieść w zębach jabłuszko albo cukiereczka i opaść na chwilę na zad, sapiąc z zadowolenia? Jak skwitować naszą heroiczną walkę z sennością, by przetrzymać drugiego, i gdy ten tylko przymknie ślepia, potrząsnąć tryumfalnie grzywą czy tym, co kto ma, i potruchtać do Pięknej, można jeszcze było zanieść jej soczek ze słomką? Jak wreszcie opisać to, co się wydarzyło zaraz po przybyciu na miejsce, gdy doszło do podziału pokojów? W programie pojawił się wówczas jeszcze jeden dodatkowy numer, typu przeciąganie liny albo, współcześniej, blokowanie własnym ciałem przejazdu czołgom. Uparł się, jak to tylko mężczyzna potrafi, że będzie, jak to tylko umie kobieta, dzielił z nią wszystko. Pokój, pieniądze, wieczory, ranki, nie wiem, co ze sjestami, sędziwą starość, życie, śmierć i jak się da, to jeszcze dalej. On już wnuczęta sadzał na kolana, on już drżącym głosem dziękował za podłożenie poduszki pod sterane plecy, on już przeglądał albumy z pożółkłymi zdjęciami z ich pierwszych dni. Że niby to on zarezerwował jej miejsce. To on nie wiedział, że nic nie jest nam dane w wieczystą dzierżawę, że niczego nie da się na stałe zamówić i że jak już przyniosą zupę, to i tak trzeba być zadowolonym, że tymczasem nie wyparowała i nie ma sposobu, aby zachować ją do jutra. Życie to nie

rość. W górze, nad jej matowym lustrem, unosiło się równie szare, lecz już wyzwolone z oków ziemskich bractwo chmur. Pod moimi nogami cienkie i mokre z przejęcia kamienie płaszczyły się tchórzliwie przed zdobywczym dotykiem fal, gotowe do brukowania otchłani swym twardym podbrzuszem. Muszle i muszelki żegnały się z chropowatą pieszczotą ziaren piasku bądź wystawiały swe intymne głębie na ostatnie retusze powietrza. Za parę chwil wszystko miało odnaleźć swoje miejsce, opuszczone w iluzorycznej euforii odpływu. Mnie także czas było wrócić w wąskie łożysko ludzkiej rzeki, porzucić złudny raj inności i odnaleźć swoją niszę w jakimś spokojnym zakolu, u wezgłowia brzegu, lecz jeszcze zwlekałem, jeszcze drukowałem ślady stóp w ciemniejących łachach piasku, wbijałem pośpiesznie flagi mego heroicznego królestwa, zanim zawrócą mnie ku ludziom beznamiętne hordy wodoru i zdradzieckie włócznie tlenu. Za oknami werandy rysowały się chude sylwetki z rękoma do góry, wznoszono pierwsze toasty powitalnej nocy. Idź i wypij z nimi, szeptało we mnie Przyzwyczajenie, zjedz też parę orzeszków i oliwek, najlepiej tych z paskiem papryki, tupało Łakomstwo, i w ogóle zobacz, co się dzieje, wołała Zazdrość; zostań, zostań z nami, chlupotała Woda, mam z twym Ciałem umowę na petryfikację, będzie nam razem dobrze. Zwyciężyła drużyna Szaleństwa; rzuciłem w morze płaski brązowy kamień na znak rozstania i zawróciłem, lecz potem długo jeszcze, z niejednym kieliszkiem

czy: stałej obecności i gotowej szczęki. Noir Tango miał je obie. Co chwila podchodził do próbnych kłapnięć, a to proponując małżeństwo, a to wyjazd do siebie, nad zatokę z wdzięcznym Mar w tytule, w której buszują jego bracia rekiny, a to przeprowadzkę do jego apartamentu w naszym mieście. Stosował przede wszystkim zachowania, które administracje wielu krajów sucho określają jako zasiedzenie, a mądrość ludowa umieszcza w paradygmacie kwoki bądź rilejszynszyp rzepu i ogona. Nie odstępował jej na krok, co zmusza mnie do użycia zabójczego dla stylu rezonansu czasownika. Szedł tam, gdzie szła i ona. Siadał tam, gdzie i ona siadała. Zatrzymywał w miejscu, w którym ona się zatrzymywała, i stał tak długo, jak długo stała ona. Ale każdy monolit ma swoje miększe miejsca, każdy mur swoje pęknięcia: spać szedł wcześniej, niż spać szła ona, i w tę właśnie szczelinę wpakowałem dynamit.

Cóż mogę powiedzieć o sobie, brzegi wysokie, tonie głębokie, początkowo wyznawcy metody morze, nasze morze, tupot białych mew i taka piękna żałoba, a potem podskórnej pracy podmywania i wreszcie eksplozji w katedrze? Targało mną zdziwienie, lecz minęło, pragnęła mnie samotność, lecz odeszła, wzięły pod ręce milczenie i wisielczy humor, ale puściły; przyszła miłość maruderka, zwyciężyła, niebo w błękicie, wyspy w zachwycie. Szykujcie się do wspinaczki; oto podstawiam wam drabinę, choć nie wiem, czy jest wśród was Jakub, będziecie mogli, szczebelek po szczebelku, godzina po godzinie, smakować rozwój wydarzeń i już wkrótce zajrzeć do jej pokoju na trzecim piętrze.

Zdziwienie jej dystansem nie spadło na mnie jak młot na głowę, było cienką warstwą szronu na przezroczystej szybie, utrudniającą widok, lecz nie wstrzymującą wzroku. O, mówiłem sobie, o, no no. Podsuwało mi pod dłonie różne znaki zapytania, lecz brałem tylko jeden, ten, co wieńczy zdania przyczynowe. Siada z nim przy innym stole, ponieważ nie lubi Chińczyków? Pstryka z nim razem zdjęcia, gdyż facet świetnie zna się na fotografii? Nie idzie ze mną na spacer ze względu na to, że bolą ją nogi? Gra w ping-ponga tylko z nim, bo reprezentują równy poziom? I czy mogę się spytać, co jest, do cholery, zważywszy fakt, że dzieje się to, co się dziać nie powinno. Czwartego dnia po przyjeździe, czwartego dnia po trzech pierwszych, podczas których wciąż było dwa do jednego, a nawet do zera, a ja nadal niczego nie rozumiałem, wypadała Wigilia, i składając wam spóźnione życzenia, prezent już chyba dałem, opowiem, co robiłem tego ranka w miasteczku. To, co robię teraz. To już wtedy, tego?... Owszem, ale wierszem, wierszem. Zabije mnie kiedyś ta szczerość. Trudno, przecież obiecywałem wam łzy, choć może nie ze śmiechu. Powiem na usprawiedliwienie, że zły wybrałem czas. Zapomniałem, że to nie do mnie przychodzą tego dnia trzej królowie.

wszystko, drogi, drzewa, dachy, oszczędzając rozświetlone okno i nazwisko jej autora, kiedy widziałem, jak moja pierwsza dla niej dedykacja rozpuszcza się nerwowo ku niemej uciesze ryb i krabów, jakże słusznie tkwiących w swej nobliwej niemocie, i odczuwałem namacalnie, jak bardzo jedną wielką Nescafé jesteśmy dla Natury, niezmiennie spragnionej wzmacniania swych wnętrz, przyszło łagodne znużenie i kazało najpierw iść daleko przed siebie, poza miasto, gdzie droga się wspina ku stromym falezom, i najlepiej już dać spokój, cicho być sobie dalej z tymi kilkoma cennymi obrazami z przeszłości, z ostatnich tygodni, nie przyjmując już nowych, niczym nieczynna galeria, a potem, gdy ścieżka zaczęła depresyjnie opadać, poradziło zawrócić, wejść do pierwszego lepszego kiosku i, kładąc rozjemczą deskę między otchłaniami poezji tragicznej a niebem rozsądnych możliwości, kupić pierwszą lepszą książkę i, by zdążyć jeszcze na obiad, wpisać pierwszą lepszą, pół gorzką, pół bliską, przenikliwą w smutku i dostojną w szczerości, ważącą na serdecznym palcu szalę obecności i braku, dedykację.

Zaraz po przyjacielskim posiłku z Chińczykami, podczas którego usiłowałem im wytłumaczyć, co to znaczy zostać nabitym w bambus, zgadzali się, że to rzeczywiście straszna tortura, pognałem z moim „od wyspy dla wyspy" do jej pokoju. Spała. Otworzyła jedno oko, to mało, ale w końcu przyszedłem sam. Wymamrotała podziękowanie, majestatycznie zamknąłem drzwi. Pod wieczór, gdy Noir Tango wyszedł za skumulowaną potrzebą, przemknęła koło mnie z szeptem: dziękuję za prezent, i w drodze powrotnej, z zawahaniem: i bardzo dziękuję za słowo. Ciekawe, co by powiedziała dzisiaj, po dziewięćdziesięciu ośmiu stronach. Może zrozumiała, że w niebiańskiej prostocie mojej dedykacji była jakaś prawda, o sobie nie wspomnę, nie będę przecież tłumaczył się z każdej figury stylistycznej, ale ona? Czyż ona nie zasługiwała na to zadziwiające porównanie z ziemią bez bram, z istnieniem zakotwiczonym w płynności? Czy nie była na kształt słońca zawieszonego w nieprzebytej toni sklepienia, czy choćby jajka sadzonego na polarnej patelni Północy? Była; była daleką, milczącą, niedostępną kobietą, gdy z kamienną miną przechodziła koło mnie z ciemnym mężczyzną u jej boku, z tym kontynentem, który postanowił zignorować morze.

Po radosnej wieczerzy, bez dzielenia się opłatkiem, i szczęśliwie, gdyż czego mogłem życzyć lądom raz na zawsze ukształtowanym, rafom raz na wieczność wynurzonym, wodom ostatecznie podzielonym na gruntowe i oceaniczne, rozdano nam służbowe prezenty. Do mojego buta postawionego rano pod choinką trafiło efektowne pudełko czekoladek, najlepsza rzecz w całej grupie, gdyż inni dostali po drewnianym stateczku z nazwą okolicy albo po wisiorku-laleczce w regionalnym stroju, i dziękowałem ślepemu losowi za to pocieszenie, za te trzydzieści sreberek, któ-

bez zastanowienia, lecz trzeba było być człowiekiem nie-
domyślnym, takim, który nigdy nie przygląda się podszew-
kom materiałów, nie ogląda banknotów pod światło, żeby
przyjmować jej gotowość bez stawiania dodatkowych pytań o niewyjaśnione spuszczenie wzroku i wyskubanie pył-
ku z kurtki, o jej odczucia czy, szerzej, o to, kim naprawdę
jesteśmy, skąd faktycznie idziemy i dokąd w istocie podą-
żamy. Może dobrze formułował zaproszenia, może zresztą
pytał, szczególnie o dalsze plany, gdy tak szła z nim tu, robiła to czy tamto, udawała się tam albo gdzie indziej, podczas gdy w niej było tak albo inaczej, ale nigdy na sto pro-
cent, może wolała nie, może chciała tak, ale nie za długo,
może nie chciała, lecz mogła, i wiele innych możliwości do
umieszczenia w przypisie. Cokolwiek powiedzieć i sądzić,
a mówię przecież, co sądzę, lecz o co chodzi, nie wiem, nie
odmawiała swego towarzystwa i proponowanego jej użytku z czasu i Noir Tango miał z kim grać w bierki, gdy chciał
grać w bierki, jeść lody, gdy na lody miał ochotę, rozma-
wiać o architekturze, gdy brała go na rozmowę chętka. Czy
chodziło jedynie o niezadawanie ciosu ludziom miłym, po-
rządnym, innym? Czy o powierzchowne przystawanie na
zewnętrzne formy życia, gdyż środka i tak to nie zmieni?
Czy o absolutną niechęć do wymyślania kolejnych kroków
i nowych form? O zwykłą nieśmiałość? Huczącym kaska-
dom gór, krzykom zwierząt w nocy, rozpadłym grudkom
ziemi, gdy je wziąć do ręki, jej sekret pozostawmy.

ka, nie komasuj tożsamości. Dąż do wyższego milczenia. Zadowól się bytem nieopisanym i danym bezpośrednio. A teraz i ty napij się wody.

Zawróciłem więc słowa do ich źródeł, wymościłem im drogę przez przełyk i nozdrza, dalej cofajcie się same, poleciłem, tak naprawdę to nie wiem, skąd przychodzicie. Nie będziesz odbiorcą i nie będziesz nadawcą, użalałem się nad sobą, masz, czego chciałeś, skrzela zamiast płuc, chitynkę na miejscu języka, idź, połóż się na piasku i poczekaj na przypływ. A jednak, powtarzam, myliłem się. Bo choć zamilkł język, nie zniknęły znaki. Wystarczyło przecież przestawić ucho na najwyższą częstotliwość, tę dostępną ptakom; wystarczyło widzieć ultrafioletowo i pod epidermą z kamienia brać za uśmiech jej rozchylone zęby. Wyostrzyłem słuch, natężyłem oczy; pomogło. Gdy przechodziła obok mnie i przenosiła wzrok z sufitu na ścianę albo ze swego buta na but Noir Tango, wiedziałem, że mówi coś do mnie w języku tylko potocznie niezrozumiałym; gdy na mój widok machała dalej rakietką pingpongową ani gorzej, ani lepiej, pojmowałem, że koduje mi przesłanie o lepszych czasach bez porażek jednych i zwycięstw drugich. Zacząłem się wystawiać na te nieme znaki jej nadchodzenia; ciągle było ich mało i wciąż nie byłem pewien, czy dojdzie do lądowania; zacząłem też nieudolnie wysyłać własne, w obawie, że nie widzi kręgu ognisk, które wciąż utrzymuję przy życiu: a to grałem w szachy i gdy przechodziła obok, dostawałem mata, a to wylałem sobie soczek na spodnie czy znowu nie trafiałem łyżką w usta.

Przyszedł jednak dzień piąty i przerwał nasze szyfry nadawane sercem mózgowi do odbioru. Od rana panowała w stancji niezwykła krzątanina. Ludzie biegali nerwowo po kuchni, dzieląc się na nacje. Iskrzyły się noże, dogotowywały wrzątki, opary krwi buchały w rozszerzone nozdrza, zaczęła się wojna domowa o podkreślanie grupowych różnic. Posiłek międzynarodowy dla okolicznej śmietanki w podziękowaniu za obiad świąteczny wydany przez miejscowe rodziny na naszą cześć. Ma przyjść nawet burmistrz, szeptano po kątach w różnych językach, lecz z tą samą intonacją, niech pozna po talerzu, co mamy w genach, a w czym nas zdeterminowały okoliczności historyczne i doświadczenie nabyte. Co naród, to inne danie, poprosili szefowie, oblizując wargi, do tego krótkie objaśnienia, stolica, powierzchnia, dochód narodowy per capita, skąd się tu przecież wzięliśmy, i strój ludowy, jak się da. Nie będę, nie ugotuję, nie da się, pyzy nie, bigos nie i flaczki też nie, upierałem się jak mazowiecki chłop, nie rozróżniać, nie wyszczególniać, nie opisywać i nie porównywać, byt brać bezpośrednio, człowiek, tylko człowiek jako taki, a nie od razu rasa i jej przysmaki, recytowałem pobraną niedawno lekcję, jestem Murzynem, jestem Hindusem, Chińczykiem i Rumunem, przypomniało mi się, i Arabem też mogę być.

Świetnie, zgodzili się nadspodziewanie szybko, wygłosisz przemówienie w imieniu wszystkich, czy masz długopis? Niepotrzebny, odpowiedziałem w zadumie, ja ciała stemplują krwią, ja śliną sygnuję powietrze, uryną brużdżę gleby, jestem Logos, jestem Słowo, choć obecnie skasowane i skowane. Fajnie, to tak na dziesięć minut i nie zapomnij o burmistrzu.

Kiedy zapadł zmierzch i latarnia morska lojalnie uprzedziła cztery strony świata o początku uroczystości, niebu pozostawiając wolną wolę, do wypełnionej sali wszedł dostojnie młody mężczyzna z czarnymi rozpuszczonymi na ramiona włosami, za którym dreptała nieokreślona wiekiem, imieniem, profesją oraz pochodzeniem kobieta o kamiennej twarzy. W wyciągniętych żebraczym gestem rękach trzymali szerokie tace, prychające sinym z przejęcia dymem. Tak, tak, nie mylicie się, to Noir Tango z jakąś tam pomocnicą, posłani na pierwszy ogień, na zakąskę do aperitifu, wnieśli danie bezkresnych pampasów i zgdyczałych kondorów, ciepłe, duże trójkąty ciasta, wypełnione farszem z rozdrobnionej w rannej euforii wołowiny z dodatkiem cebuli o smaku przeciętnie ostrym. Zapadła cisza, rzeczywiście nieźle wyglądała z tą tacą, kwiat z odchylonym płatkiem, lecz to na mnie skierowały się spojrzenia i zbrojące usta rogi pierogów. Przycisnąłem kapelusz do piersi, poprawiłem włosa i, rytualnie odchrząknąwszy oraz naturalnie zakasławszy, powiedziałem z grubsza tak:

SZANOWNI ZEBRANI, PANIE I PANOWIE

W imieniu nas wszystkich, przybyłych z czterech kontynentów i obu półkul oraz w jednym przypadku wprost z nieba, by zakorzenić nasze stare przyzwyczajenia i wrodzone wady w krainie pięknej i czystej, przybyłych lądem i wodą w poszukiwaniu odrobiny ciepła, uśmiechu, rozmowy, przyjacielskiego spotkania twarzą w twarz, a może nawet czegoś więcej, zgodnie z wcześniejszymi obietnicami; w imieniu nas wszystkich, anonimowych obywateli wielkich miast, podrzędnych mieszkańców akademików, pokojów na strychach czy wręcz kuchni nie swoich, którzy wiedzeni zbawczym instynktem, a kto wie czy i nie mirażem jedni dwojga, tam gdzie trójbyt toczy swe prawa, pozostawiliśmy na czas świąteczny iluminowane ulice i wykwintne wystawy, odrzuciliśmy zaproszenia gór, mórz południowych i bezkresnych puszcz, aby wcielić nasze nadzieje i marzenia ucieleśnić na dalekim północnym zachodzie, skąd już prosta droga do Nowego Świata, na ziemi słynnej ze swej gościnności, wbrew zimnym wiatrom i mgłom złowieszczym, pozdrawiam was, czcigodne panie, szanowni panowie, serdecznie. Nie zawsze złoto, co świeci, nie zawsze miłość, co milczy, nie zna strych, co piwnica, piętro wzgardzi parterem. Fala kamień przykrywa, falę odpływ odrywa, odpływ w dale odchodzi, życie szczęścia nie rodzi. Błękit w niebo ucieka, ptak żałośnie zakwili. Piasek pod butem skrzypnie na pohybel. Aj waj, a kysz, płacz, człowieku, lub krzycz! Tym bardziej więc, państwo drodzy, winniśmy wam wdzięczność za gorące przyjęcie zgotowane nam, rozbitkom wyrzuconym na brzeg waszego miasta, którym tak umiejętnie zarządza pan burmistrz, za waszą matczyną troskliwość, za opiekę, jaką zechcieliście nas otoczyć. Toteż raz jeszcze w imieniu nas wszystkich i naszych rodów, których jesteśmy niekiedy ostatnimi przedstawicielami, w imieniu owych sześciu Bułgarów, którzy znudzeni swym morzem rozpaczliwie czarnym, na zawsze uczuciem obdarzyli szmaragd waszego morza nad morza; w imieniu owych siedmiu Chińczyków, którzy zakochani w waszej ziemi, z pałeczek do ryżu i z jedwabiu gotowi są wznieść tutaj przewiewne konstrukcje Chinatown; w imieniu owych trzech Egipcjan, którzy po zdumiewającym odkryciu tutejszej kuchni chętnie zamieniliby piramidę znad Nilu na piramidę naleśników; w imieniu owych pięciu Indonezyjczyków, poddanych państwa trzynastu tysięcy wysp, żałujących, że kraina tutejsza nie jest sama wystarczająco wyspą, by przenieść do niej swą stolicę i do-

serdecznie, szczerze, żywiołowo za wasze gorące przyjęcie, za uprzejmość, za niezdawkowe zainteresowanie okazane naszemu życiu, naszym odmiennym kulturom i za waszą namiętność zawiązywania nowych przyjaźni. Brzeg się do brzegu uśmiecha. Kogut pieje o brzasku. Płyną chmury nad nami. Wydmami idzie człek. Dwudziestego piątego grudnia otworzyliście przed nami podwoje waszych domów, wasze serca i butelki. Dzisiaj otwieramy dla was nasze. Witam was, szanowne panie, czcigodni panowie, drodzy przyjaciele, w Kantynie Dwunastu Narodów, w tym domu czterech kontynentów, dwóch półkul czy po prostu nas wszystkich.

Rzęsiste i piękne jak sztuczny kwiat oklaski nie przygłuszyły mych wyrzutów sumienia. Czy wspomniałem o wszystkich, czy nie pominąłem nikogo? Czy dałem pełne świadectwo człowiekowi i światu? A kraby, moi druhowie, a ostrygi, druhowie mych druhów? A piasek wokół podeszwy, a oczywiste ciała meduz? Ścieżki dalekie, pieczary głębokie, kości złożone? I liście, i dłonie otwarte, i śniegi wieczne? Aż płakać mi się zachciało. Aż usiadłem i chwyciłem się rękami za głowę. Eheu, eheu! Wybaczcie i wy, trawy wysokie, i ty łuno zachodu, i wy liszki zielone i inne pręgowane. I ty, mój drogi czytelniku, w naszym nieskończonym świecie.

Spis powszechny naszego mikrokosmosu rozgorzał na dobre. Przedefilowały już ludy Bałkanów, niosąc kocioł z mamałygą doprawioną czosnkiem. Hoże Bułgarki rozlewały jogurt czosnkowy dla oczyszczenia jam i poszerzenia przełyków, wdzięcznie pląsając w takt pasterskiej muzyki i śpiewnie wykrzykując imię swej stolicy. Mądrości narodów nie znają wszak granic, bo oto z okrzykiem na ustach i rybą na talerzach, w sosie czosnkowym, wkroczyli Egipcjanie, kolorowi, rozbrykani. I oni mieli stolicę, i swoje narzecze, i pasterską muzykę do podskoków; rozdziawiłem gębę z podziwu dla bogactwa tego kraju, ale już lądowały w niej zgrabne paszteciki, dzieło walecznych Ormian, które wybuchały w ustach całą siłą swego smakowitego czosnkowego nadzienia, i w ślad za nimi trafiła w nią tą samą trajektorią potrawka z jagnięcia naszpikowana ząbkami czosnku, dzieło bitnych Algierczyków, i poczułem, jak po tylu dniach marszu przez pustynię ciszy umacnia się i wżera we mnie tak jeszcze rano osłabłe Słowo, jak wobec tylu partykularyzmów, szczegółów narodowych, kołowrotu obyczajów, wyliczanki różnic, szuka swego miejsca i niczym podbechtana lawa dąży do ujścia, aby wyrazić radość, już widelcem stukam w kieliszek, z siebie jako ludzkiej cechy, już wstaję statecznie z krzesła, z naszego cudownego zgromadzenia wielości w jedności, już odchrząkuję, a zwłaszcza z poczucia pełni, cudownej pełni, już otwieram usta, i z pragnienia, by chwila trwała wiecznie, i już mówię:

Drodzy przyjaciele, panie i panowie, i pan, panie burmistrzu. Rzecze filozof, iż wstąpić do tej samej rzeki dwakroć niepodobna. Nikt wszelako nie stwierdził do dzisiaj, szanowni zebrani, że nie dane jest nam, istotom ludzkim, zejść raz jeszcze na ten sam brzeg i zanurzyć stopy, i obmyć stężałą twarz w tym samym morzu. Dlatego też z całą mocą wyrażam życzenie, abyśmy wszyscy czy raczej niemal wszyscy, jak tu jesteśmy, zebrali się w roku przyszłym w tym samym miejscu i w niezmienionych okolicznościach. Dziękuję za uwagę.

Jakże miło było usłyszeć zrywający się szum rozmów po chwili uroczystego milczenia. Kolorowe wstęgi wypowiedzi ciągnęły się od stołu do stołu, przeplatając z barwnymi girlandami z ozdobnego papieru i witając gorliwym unisono pojawienie się pasterskiego ludu Indii Wschodnich. Gdy postawni chłopcy w turbanach frotté mężnie prezentowali sznury cebuli wijące się w takt pisków fletni wokół błyszczącej miazgi kurczaka, ponownie w mej głębi wezbrała czysta, odkażona fala ciepła i wdzięczności za ten nasz wspólny jazgot, który serdecznie wypełniał stołówkę narodów, i wyniósłszy mnie na krzesło, kazała uciszyć zebranych znanym gestem ścierania tablicy, a zapadłe milczenie naruszyć ostrzem tego oto słowa:

Drodzy przyjaciele, panie i panowie. Piękna noc, święta noc, Apollo Belwederski i Neptun Podwodny zasnęli snem bogów. Na skale Judahu przycupnął orzeł. Źdźbłami słomy przykryto źrebię narodzone. W łodyżkach skrzypu ziewa już żuk. Jałowiec śpi na stojąco. Otulmy ich naszą mową. Opowiedzmy im nasze sny. Zostańmy przy nich do rana. Panie i panowie, dziękuję za uwagę.

I piękne było, że po mojej skromnej prośbie rozległy się ciche pokrzykiwania i rzępolenia strunowe społeczności Dalekiego Wschodu, to na salę wbiegli moi najbliżsi, hodowcy z Chin Północnych, ubrani w zwiewne pasterskie jedwabie. Każda przesada ma swój kres, myślę o tym z pewnym przerażeniem, albowiem ich makaron sojowy, doskonały, doskonały, nie dostąpił czosnkowych święceń, lecz nie zdławiło to cudownej wrzawy i nie skneblowało języków. Nadal krążyły talerze i kieliszki, padały uprzejmości i podziękowania, objaśniano, zachwalano, wyznawano, przekrzykiwano się, przechodzono na inny temat, pozwalano sobie zapytać. Czy mogłem to pozostawić bez komentarza, bez podsumowania, czy słowa nie wołały o słowa?

bym koniecznie chciał, musiałbym wspominać o zegarze, który schował wskazówki, i o czarnych drzwiach bez klamek, a to, co nastąpiło, przedstawić jako zestrzelenie ptaka w locie, defenestrację świętych i strącenie Tytanów. Ale skłamałbym, gdybym, w pamięci doznanego gwałtu, zapomniał o tle, z którego wyrosły jej uniesione źrenice. Bo tam, w głębi jej oczu, był, przysłonięty wymogiem chwili, skontrastowany na miękko smutek, niebieski smuteczek, i lulała się ta cicha pieśń nad rozhuśtaną kołyską mojej desperacji: no jestem, przecież jestem, jestem z tobą. Jak tak, to tak, w porządku, zamilkłem, rozsiadłem się w krześle i wessałem sobie jędrną niteczkę makaronu sojowego.

Co było dalej, łatwo się domyślić, kolejne dania i przyśpiewki pastuchów, gdyż choć rozświetlaliśmy tę noc na wiele sposobów, z jednego wywodziliśmy się ognia, z jednej koczowniczej rodziny, potwierdzając różne naukowe tezy, a przecząc innym; pojawiły się też desery i dalsze napitki, i dokładki dokładek. Gawędziłem spokojnie z sąsiadami, pytaniami nakłaniałem do długich wypowiedzi, dolewałem wody i podsuwałem nowe kąski, nie zapominałem również o sobie, toteż unikałem odpowiedzi na ich pytania i nie zastanawiałem się, kto mi odzież zaszyje, i tak nachylając się i odsuwając, by połknąć kolejny kąsek, dryfowaliśmy ku brzaskom dnia. Czułem jednak, że coś się zmieniło, nie, nie chodziło o brak przemówień; chodziło o nacisk z tyłu, wiercenie dziur w plecach i szyi, wbrew honorowemu kodeksowi pasterzy. Nie było wątpliwości, ktoś mnie obserwował i robił ze mnie sito, zaraz włoży mnie do strumienia i zagarnie złoty piasek, pomyślałem. Odwróciłem się głupio i starannie powróciłem do pozycji wyjściowej. Coś tam z tyłu przechwyciłem, bo po chwili powtórzyłem odwrót i powrót. I po chwili znowu; a potem co minutę. Dziękuję wam za to spojrzenie, niebieskie oczy. Nawet jeśli nigdzie już nie patrzycie, dla mnie będziecie wciąż otwarte. Choćbyście zaciągnęły na siebie powiekę, zawsze dojrzę wasze źrenice. Dziękuję za waszą siłę, pod którą uginały mi się plecy, lecz prostowała cała reszta; za natarczywość i upór, bez nich nie pochyliłbym głowy nad talerzem z leguminą. Wreszcie poczułem, że nie chcecie mojej krzywdy; przeciwnie, że wspierać mnie będziecie w każdym mym zachwianiu i zawiśnięciu, że za wami stoi osoba poważna i wierna i że jeżeli tak patrzy, jak patrzy, a jak patrzy, to aż ciarki przechodzą i już nie wracają, więc jeżeli tak patrzy twardo, ale i czule, z pozoru obojętnie, lecz przecież ciepło, wytrwale i z oddaniem, to będzie dobrze i jeszcze tej nocy coś się zdarzy.

I upajałem się tym jej czujnym spojrzeniem, zatrzymującym się na mnie za każdym pełnym okrążeniem sali; to na mnie stawała wskazówka w olbrzymim kole loterii, to ja byłem asem pikowym albo królem kier, albo trzema słoniami, w zależności od regulaminu. I rozkoszowałem się tym blaskiem, wydobywanym gdzieś spoza miejsca, w którym się znaleźliśmy; gdzieś spod tej sterty talerzy teraz właśnie przesuwanych, między ostrymi zupami i nadzieniami teraz właśnie polewanymi i wydłubywanymi, spośród stuknięć kieliszkami i uśmiechów wbiegających właśnie na usta wydobywał się jak nieproszony gość jej wzrok poważny i trwały, intruz wieczność na przyjęciu u sekund. To było niczym zaślubiny, tyle że wnet zabrakło świadka.

Noir Tango, nie miej sobie niczego za złe, twoje pierożki były zdecydowanie najlepsze, choć nawet bez odrobiny czosnku, i wszyscy cię chwalili, stażystki nachylające się przez ramię i głaszczące cię po twoich pięknych lśniących włosach, goście o najlepszych podniebieniach i także ona, gdy bawiłeś ją rozmową przy stole i gdy ją na rozmowę wyciągałeś do kąta, i gdy z kąta wracaliście do stołu; nie miej i mnie za złe, tym bardziej że fakt, iż uratowałem ci życie, w ostatecznym rozrachunku też się liczy. Nie wiń ani mnie, ani siebie za to, że poszedłeś na chwilę do pokoju wyprostować nogi i oczy ci się same zamknęły, bo ciała nasze mdłe i ułomne, serca nie mają, gdy potrzebuje ich dusza. Ty śniłeś przynajmniej prawdziwie, lekko pochrapując, regularnie i uczciwie oddając tyle powietrza, ile wciągałeś, podczas gdy mój sen toczył się na jawie, jego jedwab był sztuczny, a mój oddech wzburzony.

Sen, powiadam, sen, gdyż nic innego nie odda tego wrażenia nierzeczywistości, kiedy zniknęła na parę minut i powróciła, tańce gości z gospodarzami trwały już od paru minut, w innej bluzce. Jedną ręką przytrzymałem sobie szczękę, a drugą załomotałem do mózgu, wykrzykując histerycznie: ona się przebrała, ona się przebrała! Spokojnie, spokojnie, a nawet flegmatycznie – padł rozkaz; rozeznaj sytuację, a na razie zzuj tę dziurawą marynarę, nie pasuje do jedwabiu i koronek. I rzuć w diabły kapelusz.

Usłuchałem od razu, świadomość rozdwaja mi się tylko w momentach spełnienia, i tańcząc w samej koszuli z żoną burmistrza, rozważałem na zimno fakty proste i prawdy ogólne. Do faktów prostych należało wspomniane już, lecz wciąż aktualne zniknięcie Noir Tango. Obróciłem parę razy burmistrzową, choć cza-cza wymaga raczej jednostronnych przytupywań i linii rozwojowej, i dokładnie zlustrowałem salę, tańczących i werandę za oknem. Nie ma go, stwierdziły oczy, może jeszcze przyjdzie, rzuciły geny od doświadczenia, nie ma i nie będzie, zawyrokowały komórki skojarzeń i przeczuć. Prawdą ogólną było natomiast to, że doszło do posunięcia ekstremalnego: na jej tablicy rozdzielczej zapaliły się wszystkie światełka, nawet te nigdy nieużywane. Bo zmiana bluzki na bardziej elegancką, jedwabną z pozoru, z natury sztuczną, co więcej, na coś, co swój zamiar wabienia miało bezczelnie wszyte w bufiaste ramiona, w haft przedni i w część błyszczącą, nakrapianą srebrnym pyłem, pochodziła z zapasu działań dodatkowych, na co dzień utajonych i objętych ścisłym zarachowaniem. Na co dzień miała swoich kilka koszul, ze dwa swetry i dwie pary spodni, z których te drugie i tak pozostawały w rezerwie, i koło młyńskie tych jej paru rzeczy kręciło się niezmiennie, poddając każdą co dwa lub trzy dni przejściu przez wodę i proszek. Od święta miała to samo i na nic zdawało się wybijanie niedziel i dni wolnych od pracy kolorem czerwonym; kalendarze mówiły swoje, ona nosiła swoje, tak jakby cały boży rok był równą asfaltową drogą.

A zatem zdecydowała się na to posłanie skierowane wprost do mojej inteligencji, skoro zawodził mój instynkt; całkowicie sprzeczne z niechęcią do ujawniania czegokolwiek wprost, w postaci innej niż raz na zawsze przyjętej, sprzeczne z jej teorią reinkarnacji, która mówiła: jeśli nawet zmarłeś, zasnąłeś, wszedłeś w nowy dzień, poczułeś nowe siły i nieznane uczucia, to pozostań w tej samej koszuli i spodni też nie zmieniaj. W plemieniu indiańskim zostałaby skazana na banicję za niemalowanie twarzy podczas stanu wojennego i godowego; na bal maskowy przyszłaby przebrana w strój stażystki aktualnie bez gotówki. Widocznie jednak na to zasłużyłem, zasłużyłem na ten cytat z zachowań innych kobiet, i naprawdę nie miało już sensu prosić burmistrzową o kolejny taniec, a burmistrza o zeza, na wyzwanie należało odpowiedzieć wyzwaniem. Podleciałem jak wilk do owcy i spytałem jak jagnię lwa: zatańczymy? Za odpowiedź miałem szum morza w apogeum przypływu, śmiechy biesiadników u szczytu rozbawienia i jej palce wciśnięte w me ramię. Zrobiłem krok do przodu. Dołączyła chętnie, choć niepewnie. Zadreptałem w miejscu, przechyliłem się w prawo, zamarkowałem nowy krok, dwukrotnie potrząsnąłem głową. Potrząśnięciu nie sprostała, resztę wykonała z nieznacznym opóźnieniem. Potem jeszcze pół stopy w przód, cały obrót, odejście w lewo, przy ścianie zawrót, dreptanie w prawo. I tak zaczął się nasz pierwszy taniec. Nasze stopy, dotychczas oddzielne, wystukujące o skorupę ziemi kroki naszych dni, ciche stąpnięcia o zmierzchu, ciężkie i smutne szurnięcia poranka, zakołatały nagle ze zdwojoną, gdyż wspólną siłą, oznajmiając złączenie rytmów i podwojenie samotnych perkusji naszych ciał.

Stuku, puku, bum, paf, paf, pacnęły podeszwy i młóciły obcasy w radosnym przekazie z powierzchni do głębi, znaleźliśmy swoje echo na tym dziwnym blacie świata; szuru-szuru, zaszeptały po chwili, dzisiaj jesteśmy razem i stąpamy w przytuleniu, podczas gdy tyle podbić i stóp wystukuje tej nocy flamenco cierpienia, strachu i samotności, a niektóre swym pionowym ułożeniem w ogóle odmawiają w niej udziału.

Ale i nasza transmisja z kręgu żywych, obudzonych i wyprostowanych nie wystepowała klasycznego repertuaru o harmonii dni przyszłych, o regularności współżycia, posiłków i wieczorów podobnych do tych samych ranków. Nie nadaliśmy jeszcze komunikatu o dozgonnych uzgodnieniach i doczesnych więzach, w ucho ziemi wpuściliśmy kakofonię bez progresji, radość przysłówkowego spotkania tu i teraz wyzwolonych spod przesądów wszędzie i zawsze. Po wielekroć jestem ty i jestem ja, mówiły po prostu nasze skręty i podskoki, tańczymy, jesteśmy, a czy będziemy, poranek pokaże, przypadek zrządzi, główka rozważy. Zatem jeszcze jeden taniec, i jeszcze jeden, i może już starczy, żeby chwila nie pękła od nadmuchania, nogi odpoczęły od gadania, a ludzie spojrzeli w inną stronę i przestali tłoczyć się do wyjścia.

Nic z tego, koniec został ogłoszony, noc też brała nogi za pas, zadudniły oklaski i klapnięcia dłońmi w plecy. A więc idziecie już sobie, szeptałem bezgłośnie, wynosicie pod pachą dekoracje i ostatnie butelki. Krzesła odwracacie siedzeniem do góry, resztki z obrusów strzepujecie do koszów. Porzucacie nas w pustej niecce sali samotnych jak para pierwszych ludzi. Wokół będzie cisza, niezaludniony horyzont i falowanie ptaków na wietrze. Nie pozostało nam nic innego, jak wpędzić siebie do raju. Wsiedliśmy do windy i zatrzymaliśmy się na trzecim piętrze.

Drzwi jej pokoju bezszelestnie wciągnęły język, otwierając drogę do powietrznego ogrodu z gałązek jemioły, szyszek i spłaszczonych bukietów muszelek. Wyjąłem z kieszeni deserowe jabłko i położyłem na stole ozdobionym kombinacją z sosnowych igieł. Niech tu sobie leży, wymruczałem. Odsłoniłem okno gestem łaknącego gwałtownej spowiedzi. Spojrzałem w ciemności powoli odsłaniające oblicze. Podeszła, narzuciwszy sobie na ramiona sweterek. Objąłem ją, sweterek był z wełny farbowanej wysoko w niebiosach. I staliśmy tak do pełnego świtu, ona z lewej, ja z prawej dla tego, kto by patrzył na nas przez dziurkę od klucza; miałem jednak wrażenie, że jeśli już ktoś patrzy, to raczej z przodu. Nie sądzę, bym mógł dodać coś jeszcze do tego obrazu. Czy warto za wszelką cenę narażać słowa na przeciągi, nawilżać zdania morską bryzą i wystawiać je na śmieszność kropki? Dlatego, drodzy zebrani, miłe czytelniczki i ostatni czytelnicy, dziękuję wam za uwagę.

Kiedy pierwszy promień słońca liznął wiernie nasze twarze, wyszedłem tą samą drogą z pokoju i zbiegłem po schodach do krainy bliźnich. Choć tego nie chciałem, trzeszczały pode mną, bezsennym niosąc nowy problem, chrapiącym sny o pożarze. Noir Tango spał mocno i równo, pewnie jemu nic się nie paliło. A może śniło mu się, że jest Prometeuszem, spod kołdry wystawały jego wielkie stopy, których mięsiste, splecione palce kierowały ku niebu znaną figurę figi z makiem. Na wszelki wypadek przykryłem je starannie, jestem człowiekiem przesądnym i uczynnym, po co kusić los, ale w gruncie rzeczy wierzyłem, że i tak nic mu nie grozi, że cokolwiek złego go spotka, niechybnie powstanie. I rzeczywiście, wiara mnie nie zwiodła. Gdy w samo południe otworzyłem oczy, po jego cielsku zostało w łóżku tylko ciężkie wgłębienie. Nie musiałem się przewracać na drugi bok, by zgadnąć, gdzie skierował kroki. I mogłem spokojnie leżeć dalej, świszcząc przez nos i chrapiąc ustami. Do wieczora było daleko, do wspomnienia blisko.

Gdy zszedłem na dół, dzienny repertuar już się wyczerpywał. Pęknięte piłeczki pingpongowe dowodziły, że głębia jest pusta, porozrzucane figury szachowe mamiły zielonym podbiciem z filcu, talie kart ujawniały swe prawdziwe twarze. Noir Tango szalał, po grach przyszła kolej na zimne napoje pite w ciemnych kątach przy dwuosobowych stołach, na przegląd albumów i folderów głowa przy głowie, nawet do siebie pasowały, wreszcie na spacer po lagunie; miałem nadzieję, że dobrze ustalił godzinę przypływu, trafność innych jego obliczeń nieco mniej mnie martwiła. Dlatego ze spokojem w duszy i ze ściśniętym gardłem, krokiem strusia szukającego kupy piasku opuściłem wieczorem salę, w której do wspólnej zabawy zapraszał ludowy zespół z okolic, specjalnie na okazję odstrojony. Dorodni staruszkowie w czarnych kubrakach, krzepkie staruszki w skarbonizowanych szatach i w czepcach tak wysokich, że aniołom mogłyby służyć za kloakę, wykonywali rytualne tańce przy dźwiękach jękliwej muzyki, wydobywanej z dziwnych instrumentów, i zawodzili tajemne formuły w języku ludziom niezrozumiałym. To jakieś ciemne obrządki, rosło we mnie podejrzenie, diabelska celebracja, zemsta czarnych na białych, brodatych i łysych, bo niby dlaczego nasi międzynarodowi Murzyni zaczęli nagle klaskać i gibać się rytmicznie, dlaczego Kruczowłosy wepchnął się na krzesło Bladolicej, objął ją niby tak ze ścisku i wyszczerzył kły w tryumfie błogości, dlaczego stanął mi przed oczyma obraz subtelnej trzciny stratowanej kopytami i wiecznego pióra ściśniętego w wandalskiej dłoni. Chmurkę wiatr złowieszczy przewieje, wrażliwie sobie tłumaczyłem, zamykając drzwi, potop jaskinię zamieni w jezioro, poetę zmiażdży nawałnica, jakie to nudne i ile razy można. Woda przyjemnie chłodziła przypalone stopy, czułem, że piasek, głazy i muszelki chrzęstem odpowiadające na moje utykania też są po mojej stronie. Z wdzięcznością spojrzałem na niebieskie światełka odległych lamp, ciesząc się, że i kolory mnie w tej ciemności nie opuściły. Zbytek łaski, szepnąłem, gdy jedno z nich zaczęło się do mnie zbliżać, hej, co robisz, spytałem, gdy wzięło mnie pod rękę i pociągnęło przed siebie, mmm mmm, stwierdziłem, gdy zajęło mi usta pocałunkiem.

Stromą ścieżką wspięliśmy się na falezę. Od morza zaczęła wznosić się mgła, chociaż nie zamawialiśmy niczego do picia. Chociaż nie zamawialiśmy niczego do okrycia, otulała nas mgła w modnym kolorze odtłuszczonego mleka. Chociaż świat długi jest i szeroki, we mgle spotkały się nasze ręce i uwięzły stopy. Chociaż więcej jest minusów niż plusów w dziennikach ludzkich obecności, ramiona się splotły i uszy zastrzygły, i brwi znalazły miękkie lądowanie, a wargi solidne oparcie. I poszliśmy w lewo lub w prawo, wprost przed siebie, czy też zataczając półkole, niewidziani i niesłyszani, nie niemi, lecz milczący i czasem kichający, cisi i uroczyści, i mimo że bielmo zasnuło oko świata, a może i opatrzności, maskując kierunki i kałuże, uniosę na chwilę jego pokrywkę dla ciebie, wierny czytelniku, byś mógł sprawdzić moje słowa i swoje przypuszczenia. Tak, życie było piękne i dziwne, a ścieżka wyboista; tak, po jednej stronie były krzaki, a po drugiej sosny; tak, czasami przystawaliśmy twarzami do siebie, ale też szliśmy nosami w przód. Tak, tak, za każdym razem tak. A jeśli nie jesteś jeszcze pewien, co czuliśmy, przypomnij sobie wschód słońca oglądany w pierwszy dzień lata, prezent pod choinką, gdy już zjadłeś opłatek, błyszczącą dolinę śniegu, którą zaznaczyłeś śladami nart. Ale nie zapomnij, że jutro idziesz do pracy.

Gdy wróciliśmy, światła na nasz widok wszędzie zgasły. Po omacku dotarliśmy do windy. Czekała wierna jak pies, otwarta jak morze. Lustro w kabinie sprawdziło, czy to na pewno my, i po chwili drzwi trzeciego piętra rozsunęły się przed nami, milcząc dwuznacznie. Niepotrzebnie, od razu powiem, co nastąpiło. Leżeliśmy długo i bez ruchu; zaczął się już kolejny przypływ i szum wspinającego się ku nam morza rósł z minuty na minutę.

– Jak myślisz, co ono chce nam powiedzieć? – spytałem nagle.

Nie odpowiedziała, może nie wiedziała, a może wolała nie mówić. Może pytanie było źle postawione, może odpowiedź zbyt oczywista, a może ukryta w sejfie firmy Wszechświat. Przytuliłem ją mocniej, a sen podstawił swoje słodkie lico do lizania. Po chwili ocknąłem się. Nie spała, wpatrując się we mnie szeroko otwartymi oczami.

– Dobrze, spać będę u siebie – szepnąłem – a u ciebie będziemy razem tylko czuwać, niech widzą spojówki, o czym śni dusza.

Kiedy zamykałem drzwi, patrzyła na mnie bez ruchu. Schodziłem powoli, stopień po stopniu, i wolno stąpałem pokrętnym korytarzem. Nie uchyliły się żadne mijane drzwi. Czułem się jak bakteria wpuszczona we wnętrze ogromnego organizmu i krążąca po jego zakamarkach, obca i zadowolona z siebie. Ze zdziwieniem stwierdziłem, że spod jednych drzwi biła żywa smuga światła, oznaka nadszarpniętej immunologii. Wcisnąłem się bezceremonialnie. Noir Tango siedział w łóżku, pod kołdrą, i pisał coś, opierając kartkę na podkurczonych kolanach.

– Oho, pewnie w coś grałeś? – spytał cicho.

– Nie, chyba nie – odpowiedziałem. – Nie lekceważ akapitów.

Tamtej nocy śnił mi się przypływ. Szum wzmagał się i wzmagał, aż wreszcie rozwinął w szaloną morską burzę. Ogromne fale waliły w oszklone ściany budynków Miasta. Widziałem, jak zbliżają się i uderzają z całą siłą, obryzgując szyby pianą. Stałem tak w przezroczystej kuli, otoczony ze wszystkich stron wzburzoną wodą. Daję ci dzisiaj, mój śnie, prywatną Nagrodę Nobla, honoruję cię za błyskotliwą interpretację i poczucie rzeczywistości.

U skraju nocy przekroczył mnie zatem Rubikon, napłynął z daleka i wszystko przeniknął. Od poranka natomiast zaczęło się szaleństwo normy, tak jakby nic się nie zmieniło, każdy szedł swoją drogą, ja samotną, inni wspólną, lecz gdy ciemność dobrze już zapaskudziła jasność dnia, doktor Jekyll rozczesał długie włosy, otulił się puchową kołdrą, a mister Hyde poleciał pod dach i został tam aż do przyjazdu MPO jutrzenki. I tak miało być już do końca. Zegary dawały z siebie wszystko, wybijając swą najwyższą cyfrę, ja stawałem przed windą i czekałem, aż bezszelestnie wciągnie mnie do edenu na trzecim. Nigdy nie pukałem do jej drzwi, żeby nie pomylono mnie z niemiłym uniwersalnym symbolem albo z innym facetem, szurałem tak jakoś paznokciami poza wszelkim archetypem i konwencją tego świata, jak kapitan Nemo o dno oceanu, i wchodziłem normalnie. Podbiegała wówczas do mnie, wyciągając ręce w sposób, który rozsądek kazał mi opisać wcześniej, ale którego upór i starokawalerstwo nie pozwalają teraz pominąć. Nikt o zdrowych zmysłach, lecz chorej duszy nie zrezygnowałby z dodatkowej porcji splinu w kryształowym naczyniu, z psalmu 151, gdy półtorej setki wiruje już w głowie, każdy zawróciłby, by przekroczyć próg raz jeszcze, i wciąż na nowo. Od tamtych czasów ufam wszelkim drzwiom, otwieram je czule i wciąż z nadzieją, choć milczy podłoga za ich progiem i palce splatają się w kieszeniach. Więc raz jeszcze, choć nie wiem, czy ostatni: podbiegała i było to niczym przyśpieszony przypływ, streszczenie kilku nocnych godzin przed nami, najpierw odległy szum, pierwszy pomruk i uniesienie stóp, potem ślizg tafli do brzegu i szybkie bicie kroków aż po burzliwe zdobycie skały i gwałtowne dociśnięcie żeber z zarzuceniem dłoni.

Nie mówiła do mnie wiele i ja nie chciałem długich rozmów. Najwyżej rzadkie uwagi o kolorze nieba, piskach ptaków, degustacji ostryg w jutrzejszym programie, o tym, co ma się do istnienia względnie, odlegle i niekoniecznie, choć dobrze, że w ogóle. Odrzucałem słowa na bezpieczną odległość, tam gdzie nie widać papilarnych linii przeznaczeń, motywów i racji. Chciałem w ciszy patrzeć na jej profil to wyłaniający się, to zanikający w mroku, oddychać z nią równo i przytomnie w rytm nadchodzącej wody i nie przywiązywać twarzy do rozległej historii jej osoby, trwającej od dawna i jeszcze nie skończonej. Siebie także wyjmowałem z zawiasów chronologii, zasypywałem szyfry osobowości i głębokie ciągi zdarzeń przeżytych, rozumiejąc coraz gorzej siebie i coraz lepiej pojmując, że nie warto przenikać kompleksów dusz i ciał, przypadłości oczywistych od bieguna do bieguna, tych samych na obu zwrotnikach i wzdłuż równika, od chaosu pierwotnego po chaos dni naszych... Może się myliłem, może zanadto chciałem być na wysokości oceanu, mgły i bryzy, może na siłę z kory mózgowej robiłem plankton, podlizywałem się idolom mym, falom. Tak jednak było dobrze, dobrze było unosić się w bezruchu bez pytań jak w próżni pod kloszem, jak w szczelnym batyskafie.

I to pewnie dzięki wysiłkowi chronienia naszych rysów w hermetycznych kaskach stanąłem jak wryty pewnego poranka, gdy wbrew niepisanej między nami umowie na przedśniadaniową przerwę, lecz zgodnie z potrzebą chwili, wszedłem do jej pokoju, poskrobawszy drzwi, z posłaniem od dnia, który zapowiadał się jako dobry. Gdy kilka godzin wcześniej żegnaliśmy się, życząc sobie głębokiego snu podczas reszty nocy i późnego przebudzenia, księżyc oświetlał nasze zasnute kształty. Teraz wyrosłem przed nią jasny i dokładny aż po brak guzika przy trzeciej dziurce. Spojrzała na mnie i prześcieradłem zasłoniła twarz, szybko i starannie, naturalnie, lecz metodycznie, łącznie z włosami. Nie o brak guzika tu chodzi, głupcze żartownisiu, rozmyślałem, z przyzwyczajenia zamykając drzwi bezszelestnie, mimo że przez ułamek sekundy miałem ochotę na małe trzaśniecie, ani o guzik, ani o paltot dziurawy, ani o buty nie przetarte glansszmatką. W ciągłości dnia, w prędkości światła właśnie coś zobaczyłeś. Pod tym białym prześcieradłem nie ma żadnych rysów, nie ma bieli pierwszych kwiatów, czai się ponure i może straszne. Niech lepiej noc zakryje już ten dzień i moje przypuszczenia. Hej, amigo, wrzasnąłem do rozchełstanej sylwetki, łapczywie pochłaniającej po trzy schody i mijającej mnie z impetem, nie idź tam, przyjacielu, nie warto, od rana z kimś rozmawia. Zagraj ze mną w ping-ponga, jestem w gorszej formie.

Cóż jednak mogło ważyć to poranne zdarzenie na szali naszych nocnych czuwań, do których wnet dobiegły, rozglądając się raz w lewo, raz w prawo i znowu w lewo, zaraz po kolacji, a czasem również po podwieczorku albo w porach do niczego niezbliżonych, wizyty wolne, już bez zdejmowania butów i wyciągania rąk. Ona umyślnie nie zamykała, wychodząc, pokoju, a ja nie powstrzymywałem woli, wyobraźni, a nawet spekulacji, i gdy wszystkie trzy rozgrzały się, a kruczowłosi wrogowie jednostkowych wyborów i indywidualnych działań zajęci byli spuszczaniem miłosiernej wody na ślady własnej słabości i braku zaparcia, pokonywałem jednym halsem trzy piętra dzielące mnie od mety moich marzeń i zanurzałem się w ciszę kremowych ścian i w siny szept z oddali, i zachwyconym wzrokiem krytyka sztuki, który stracił zimną krew, lecz zachował obiektywną miarę, wpatrywałem się w kompozycję z porozrzucanych jej ręką przedmiotów. Jak świetnie leżała ta szczotka do włosów ze swym sąsiadem grzebieniem, co za kapitalne rozmieszczenie pudełek z kremem i długopisu i czyż to nie mistrzowskie doprawdy zestawienie koszulki bawełnianej z poręczą krzesła. Tkwiłem tak szczęśliwie wewnątrz obrazu, wdychając kolory i ustawienia, a niekiedy do atelier wracał sam mistrz, choć nie flamandzki i w ogóle nie bardzo wiadomo skąd, i przekraczając framugę, by poprawić sobie fryzurę albo nawilżyć dłonie kremem, na mych oczach utożsamiał proces życia z wymogiem sztuki. Jeśli więc miało być tak artystycznie, jeśli dzieło miało być skończone przed wystawieniem na korozyjną licytację czasu, prosiłem o wieńczący podpis, który na mej szyi i potylicy wyciskały jej splecione dłonie.

Nie wiem, czy sława naszego opus magnum rozeszła się po całym domu, czy długie języki zadęły w trąbki naiwnych uszu, czy kroki moje były za głośne, a zasłony w jej oknie zsunięte, czy może też w oczach mieliśmy to, czego nie mieliśmy na ustach. Jeden z tych faktów sprawić jednak musiał, że towarzysz mych prolongat nocy, zwierciadło moich krzywych marzeń i pokrętnych planów wychudł jakoś i pobladł. Związek jego pięknych, czarnych włosów z twarzą w nie winkrustowaną coraz bardziej upodabniał się do korsarskiej flagi. Z rysów wycofała się latynoska barwa i brawura, pozostawiając na samotnej czujce Starą Europę z jej grymasem mądrości i rezygnacji. Może to logika dziejów przeszłych, a nie przypadek wydarzeń obecnych, może miał to zapisane w swoim azteckim horoskopie, tłumaczyłem sobie obłudnie, „twój kolor przeklęty błękitny, twoje szczęście w domu", może, konkludowałem historycznie, prababka indiańska splunęła nie w tę stronę co trzeba na widok białego mężczyzny.

– Śniło mi się, że pojechałem na wycieczkę na wschód, najpierw było miło, a potem napadli i ścięli mi włosy, by zrobić sobie perukę, i czułem, że nie mogę się ruszyć – pożalił mi się któregoś dnia po przebudzeniu.

– Odrosną, odrosną – pocieszyłem go automatycznie, w zamyśleniu kiwając głową.

Niekiedy to ja wszczynałem rozmowę, rzucając na przykład konsolacyjnie, choć nic mu się nie śniło:

– Piękna rzecz, młodość, gdy trzydziestka dopiero co przegnała meszek z karku, zdobyło się konkretny zawód i domy stawia się od fundamentów, kiedy w kieszeni ma się trzyletnie stypendium, a w duszy optymizm. Tu człowieka spotka przykrość, to tam sobie odbije, droga przed nim długa i gładka jak policzek dziewczęcia, jutro się uśmiechnie z tego, co dzisiaj łzą mu podchodzi. Ech, życie, życie.

– A nie masz pożyczyć pasty do butów? – przymilał się jak kot pod dłonią.

Byliśmy sobie życzliwi i potrzebni. Gdy w totolotku ostryg wylosował zły numer, co pół godziny przybiegałem do jego wezgłowia ze świeżo parzoną herbatą i odwieczną radą nianiek i babek, by sobie poleżał i pospał, i nie wstawał dzisiaj, ani nawet jutro i pojutrze. Jeśli potrzebował pasty albo żelazka, biegałem po domu i gotów byłem sam wyostrzyć mu kanty i zaorać mankiet, byle tylko zaoszczędzić jego sercu trzypiętrowej wspinaczki i tyleżpiętrowego lotu w dół. Kiedy poprosił mnie o kartkę z zeszytu, bez słowa wyciągnąłem zeszyt z torby, w milczeniu kartkę wyrwałem i głucho mu ją podałem.

Tak, Noir Tango pisał. W miarę jak ubywało mu krwi z twarzy, na papierze przybywało atramentu. Wieczorami widywałem go w wielkiej sali na dole skulonego nad kartką jak embrion nad ustawą; na pisaniu zaskoczyłem go raz w nocy; widziałem też, jak coś skrobie w porze sjesty.

Noir Tango, bracie mój, ciemny Jezusie z Mar del Plata, czy mnie słyszysz? Czy i ty oczy masz spuszczone i głowę ułożoną w dłoni? Czy do ciebie także dociera świtem i w środku nocy głos syren, czy i twój głos brzmi jak skrzypnięcia pijanego statku? Opuszki palców masz poobijane o twarde nabrzeża kartki, a na białych plażach papieru wylegują się twoje leniwe wspomnienia, reumatyczne obrazy, blade ciałka zdań? Czy i ty widzisz, synu marnotrawny ojców pustyni, czas zlepiony w jednej bryłce piasku? Wiesz i ty, dokąd płyną fale o zmierzchu i co mówią wiklinom schylonym? Muszla prawdę nam mówi, w fali zamieszkał duch, psalm rybitwy w bursztyn się zaklął, zgadzasz się chyba ze mną? Noir Tango, bracie mój, czy słyszysz stukot jej widelca o talerz, gdy jadła jajko na twardo w sosie krewetkowym, czy i ty czujesz, jak jej śmiech perlisty dusi ci szyję swą błyszczącą kolią? Czy widzisz jeszcze drzwi rozhuśtane jej ręką, gdy wracała do siebie, wgniecenie w fotelu, w którym piła sok? Cieniem jestem twoim, a ty moją smugą. Lewą stroną twej koszuli, ty podbiciem mego płaszcza. Szliśmy razem chropowatą ścieżką majaków, błękitną drogą złudzeń. Może ty dotarłeś już do asfaltu dni bez skazy, betonowych pasów szczęścia. Wybacz, jeśli przez pomyłkę użyłem twej wody kolońskiej, jeśli za długo siedziałem w łazience i zalałem podłogę. Nie gniewaj się za bałagan w pokoju, za chrapanie i za krzyki przez sen. Daj znać, jeśli dostałeś jakąś nagrodę literacką. I uwierz, że to nie ja podrzuciłem ci tamtą ostrygę. Noir Tango, bracie mój, ciemny Jezusie z Mar del Plata, korsarzu wód klęski i nadziei, pozdrawiam cię dzisiaj.

Cholera wie, a licho ma w nosie, co też takiego pisywał Noir Tango swoim smukłym parkerem, starannie kaligrafując litery, okrągłym dorabiając brzuszki, podłużnym dostawiając nogę. Nie zaglądałem mu przez ramię, gdyż na raka nie ma lekarstwa i dobre rady starszego kolegi nie zdałyby mu się na nic; nie podczytywałem też nadmiernie zapisków pod jego nieobecność; tak naprawdę nie interesują mnie książki z gatunku płaszcza bez szpady. Znając się na życiu i liznąwszy trochę literatury, założę się jednak o nowy prochowiec, że z początku wyglądało to mniej więcej tak:

REWIA ZŁEGO W DOMU NAD LAGUNĄ

Chciałbym coś wam opowiedzieć, życie mnie do tego zmusza, choć nie o głód tu chodzi ani o chorobę; chodzi po prostu o miłość.

Imię me szeroko znane, gdyż pisarz taki był, znakomity, niestety w Europie źle je wymawiają, myślą, że wystarczy powiedzieć „h" na miejscu „g", by osiągnąć całkowitą poprawność. Ona jedna należycie je intonowała, prześlizgując się z pierwszej sylaby na drugą ze zręcznością linoskoczka i napawając me uszy słodkim potwierdzeniem mojego istnienia. I o niej jednej byłaby to zwykła opowieść, którą złożyłbym w ofierze, niczym najmiększy aksamit łzom mojej tęskniącej matki, a mym malutkim siostrom przypasał do skroni jak kokardki w kolorze najpiękniejszych motyli, gdyby zmurszała gleba Starego Kontynentu nie rozdawała bytu dzieciarni skażonej. Nieprawdopodobny Oszust, Sinawy Prochowiec vel Dziurawe Palto, wyrwał Błękitny Kwiat z wazonu moich uczuć.

Odkąd, drogi czytelniku i jakże piękna czytelniczko (przyjmij pocałunek na twą dłoń tę kartkę pieszczącą), opuściłem ganek naszej hacjendy i rodzinnym samolotem, rzucając z lotu ptaka pożegnalne spojrzenie na rozległe pola pszenicy, które uniesionym kłosem przekazywały mi znak powodzenia, na stada krów i wyspy buhajów bijących ogonem z ukontentowania w miniaturowe awionetki much, które dzieckiem nakłuwałem szpilką, na nasz kościółek biały barokowy u kresu dębowej alei i opaskę z grobów przodków, złożoną u jego stóp, na zakole rzeki i trzy stopnie wodospadów, i pagórek, skąd w dni chłodne widać było odległą zatokę, i boisko przy szkole, gdzie piłką futbolową dziurawiłem siatki bramek i swetry przeciwników, i ścieżynę torów kolejowych gubiącą się w pampie, i słupy sieci trakcyjnej rozdzielone na dole tragiczną pustką przestrzeni, lecz na górze złączone srebrzystą linią drutu pocieszyciela, i udałem się na lotnisko międzynarodowe, pierwszy etap mojej wyprawy i ostatni popas mojej młodości, wiele spotkałem kobiet i niemało mężczyzn, lecz takiemu stężeniu błękitu oko moje nie świadkowało, a serce nie hołdowało, i takiemu zbiorowi czerni w jednej łysej pale ufność moja nie zawierzyła.

Jest nie za młoda, od wiosny wciąż jednak dostaje liści, lubi szachy, grę w ping-ponga i albumy piękne, potrafiła znaleźć się w kuchni, gdym dania gotował dla rozlicznych gości z tej miłej okolicy, i słucha uważnie mych opowieści podczas spacerów długich i splątanych jak linie życia na dłoni. Zna się na muzyce i świetnie tańczy ze mną tango, a różni nas jedynie skrajnie odmienna ocena prac grupy Bauhaus. Gdy rozmyślam o niej, słowa me padają na kolana i modlą się w milczeniu. Bo któż zdoła opisać choćby uroczy sposób, w jaki je jogurt, który zawsze jej przynoszę po skończonym posiłku? Niestety, każdy kolor ma swoje słabości i mój Błękit Nad Błękitami nie jest od nich wolny. Zaliczam do nich jej dyskretne przyzwolenie na bliską obecność Dostawcy Nikczemności, Paltot Szmata Paltot, zwanego też Marynara Po Kolana, mistrza nieelegancji i pisarza od siedmiu boleści, lecz zera powieści.

Płynie fala, skacze karp, dźgaj mnie, bólu, rwij mnie, szarp. Kamień gładkonosy fali się powierzył. Pióro rybitwy na wodnym diamencie złożyło swój podpis. W toni głębokiej algi gaworzą o słońcu. Z ziarenek piasku wyrośnie mój portret.

Zamaskowany Farbiarz, Kapelusz Żarowa cicho pochrapuje na sąsiednim łożu, chociaż obiad za pasem. Nawet tego zliniałego filcu ze łba nie zsunął, a zamiast koca używa płaszcza. Już w dniu przyjazdu przylgnął do mnie niczym minus do plusa w fabryce magnesu, narzucił swe towarzystwo, rozkład dnia i nocy. A ja nie lubię kłaść się późno. Skazany za lenistwo na przemówienie powitalne w uroczystym dniu posiłku międzynarodowego, ten Nietaktowny Mistrz Ceremonii, Kojak Księżyc prządł grube aluzje, czyniąc przykrość Anielskiej i jej przyjacielowi. Kiedy ściął mnie z nóg, lecz położył na plecy nietrafny wybór ostrygi, ten Przerażający Wybawiciel, Dziad Jesiona donosił mi herbatę ze środkiem nasennym. Gdy co wieczór układałem się do snu, ten Bezinteresowny Morderca zapinał po szyję swój wyświechtany szynel i oświadczał, że udaje się na długi spacer, po czym okrążał dom i wsiadał do windy, która z hukiem wyrywała się na trzecie piętro.

Kiedy za kilka miesięcy, Feralny Piewco Morza, staniesz przed plutonem egzekucyjnym swych wspomnień, pojmiesz może, że choć drzewa milczą, ich korzenie się łączą, że gdy światło liść osmali, liść sąsiedni głowę schyli. Pożałujesz wtedy, brzydszy bracie, że wprowadziłeś mnie na stronice swej przyszłej opowieści i że mnie wygnałeś z niej przed końcem, lub przynajmniej pozdrowisz mnie serdecznie. Fale morza nie zmienią, chmury nieba nie zmiażdżą, chyba podzielasz tę opinię? Razem przemkniemy nad światem jak para ślepych nietoperzy nad polem o zmierzchu. Dlatego, Pismaku z Warszawy, Paltot Szmata Paltot, wybaczam ci już dzisiaj i, pozdrawiając, po sarmacku kłaniam się w pas.

Nadszedł dzień przełomów, gdy nowe wsadza staremu nóż w plecy, a ludzie przypatrują się, klaszczą i piją szampana. Stare ląduje w zbiorowych grobach z plastiku na pety, kapsle i kubki jednorazowego użytku dla wielokrotnych dolewek, a ludzie całują się i ściskają, i gratulują sobie, choć nie ich to robota i zasługa nie ich. Na szczęście są jeszcze hieny cmentarne, które zakasują sobie rękawy, albo nawet nie, jeśli marynarka im nie przeszkadza, i grzebią w odpadkach, by wyciągnąć na wierzch dnia struchlałe i krwawiące odpadki, zamierające serca chwil przeżytych i prawd poznanych.

Nie mogło być korzystniejszej oprawy lokalnej dla tej godziny przejścia i bardziej dobranego momentu dla miejsca heroicznego w swej walce z żywiołem niż wyspa, jeśli chodzi o przestrzeń, sylwester, gdy mowa o czasie. Już od rana plątały mi się właśnie zdania, z trudem dochodziłem do kropki, a zwyczajne o tej porze roku myśli o zmierzchu zinterpretowałem, ku zdziwieniu niektórych i radości tych samych, jako tęsknotę czarnej pasty do mych butów. Kiedy zalśniły już, jak to buty po wypastowaniu wzbogaconym o charakterystyczne dla człowieka splunięcie na to wszystko i całą resztę, i gdy pewna ręka turystycznym żelazkiem zabrała mojej koszulinie nadzieję na życie bez kantów, poczułem się gotowy do naszej wyprawy i do walki o jutro nie gorsze od wczoraj, i jako pierwszy wsiadłem do autokaru. Miałem trzy kwadranse, by odgadnąć, kto przyjdzie ostatni. Baba-jaga, szara gęś czy ten cholerny babsztyl, podsuwali mi szeptem za moimi plecami rozpaleni z niecierpliwości szykującym się mordem i detronizacją stażyści, głupi i nieopierzeni. A mogli się przecież domyślić, że ona z chmurą przelotną musi jeszcze porozmawiać, jemiołę w wazonie pozdrowić i wielu pożegnaniom sprostać, bo i z oknem wszerz otwartym, i ze ścianą pionom wierną, i z poduszką wiernouszką, wszystkim życząc miłej nocy noworocznej i szczęśliwego roku.

Rozproszeni na molach pustego portu oczekiwaliśmy na przybicie statku, wylizując z promieni słońca resztki ciepła i spoglądając w zadumie na nieodległe brzegi wyspy. Czy ostatni to przylądek naszej ziemi, życia w formie aktualnej, zastanawialiśmy się, czy zwiastun nowego wcielenia? Jak odszyfrować bieg dziejów z pokładu statku o nazwie XYP 321? Czy obserwować z rufy oddalający się pasek kontynentu, jak ja, czy raczej z dziobu, jak ona i inni, wypełniać źrenice rosnącym reliefem brzegów przed nami i wyroków nad nami? Chyba coś tam dojrzała, coś tam wypatrzyła wśród odbić skał i w refleksach wody, i w figurach chmur na błękicie, skoro jej oczy zabłysły w chwili, gdy stanęła nagle koło mnie, wyganiając mi spod ramion mewę śmieszkę, i skoro pokryły się szklanym waflem łez. Rzadko bywam w sklepie z brylantami, nie znam cen i zwyczajów, nie wiem, czy rzeczywiście robi się głęboki wdech, zaciska dłonie na poręczy i wpija kolano w burtę, ale, to już wiem na pewno, nie mówi się: nie płacz, nie trzeba płakać; co ci jest? – bo płoszy się sprzedawcę błyskotek i nie dochodzi do wymiany odpowiedzi za pytanie. Dzisiaj nie mówię już niczego, o nic nie pytam, lecz nadal nie poznałem do końca świadectwa pochodzenia i ceny kupna tych paru zastygłych lśnień, które tamtego dnia przyniosła w oczach z dziobu statku prującego wprost ku nabrzeżom Nowego Roku.

– Wiatr, oczy mi marzną – szepnęła tylko i odeszła, a ja, choć zdawało mi się, że czytałem coś podobnego, co skończyło się happy endem, usiadłem ciężko na leżaku i z zazdrością spojrzałem na kotwicę, spoczywającą jak wierny pies na solidnym łańcuchu. Życie podsuwa ci pod nos symbole, myślałem, głaszcząc grube trójkąty ostrzy, fikcja ich wręcz wymaga, czy potrafisz jednak powstrzymać bieg czasu, zaczepić się w strumieniu?

Tak, miejsce było tym, czego szukał czas, żeby przekuć swe granice. Kiedy tylko statek, wyrzekając się nas trzykrotnie radosnym głosem syreny, odpłynął ścigany moim tęsknym spojrzeniem, a żegnającym go plecom innych pokazał rufę, wyspa pokryła mgłą, podbitą różem zachodzącego słońca, cyple swoje i zatoki. Koniec świata lub dopiero jego zaranie, odczuliśmy wszyscy archetypowo, znaleźliśmy się na końcu świata albo u źródeł jego dziejów; wypadliśmy z orbity czasu, my Ziemianie bez drogowskazu, choć wciąż z paszportami. Ruszyliśmy na zwiady, drżący i przejęci misterium czekającym nas w tym miejscu spoza naszej wyobraźni, w uroczystej ciszy niczym dla uczczenia poległych, dziękuję bardzo, i w oparach imienia Tajemnej Północy. Słyszący mógł wreszcie zrozumieć głuchego, widzący ślepego, tak nikły był dźwięk morza, tak poufna jego obecność za różową zasłoną. Gdybym miał wówczas kartkę papieru i ołówek 2B, najlepszy do epifanii, utrwaliłbym zapewne wrażenie tamtej chwili, nie przewidzianej na tarczy sekundnika i długo dla mnie niepojętej, lecz na szczęście dla różnych antologii nie miałem. Nie martwcie się jednak, coś niecoś pamiętam i od serca wyławiam dla was z głowy kilka ocalałych myśli, przepraszając za brak rymów: Oto weszliśmy na prawdziwe pokoje Wszechświata. Za nami pozostały dekoracje, które Naturze kazano wystawić dla świętego spokoju i ku samozadowoleniu ludzi. Niech się cieszą polaną wśród kniei i ośnieżonym szczytem w oddali i niech prochem żyznym na wiosnę wysmuklają kłosy pszenicy. Tu, tu, w komnatach Pierwszej Realności, nie ma kruchych ciał i trwałych bruzd gleby. Natura ma wolne, a człowiek odpuszczone i odmamione. Może stać, i nóg nie poczuje. Może iść, lecz nie są to kroki. Gdy usiądzie, nic się nie zmieni. Tu korzeni brak, lecz jest się bez niczego. Tu nie ma widoków i gesty nie istnieją. Ale bardzo chciałbym, żebyś podała mi dłoń.

Nie podała. Przepadła gdzieś bezgłośnie, choć poszła donikąd. Pobiegłem naprzód, choć nie był to kierunek. Szukać chciałem, czego nigdy nie zgubiłem. Mijały długie minuty, choć czas ich nie zaliczał. Wreszcie machnąłem ręką, lecz nie był to znak i niczego to nie wyrażało.

Do diaska, dokąd poleciała, bo już nawet nie pytam z kim; co, u licha, zamierzała, skumulowała chowanego z ciuciubabką i mogłem długo wyciągać łapy i od nowa liczyć sobie do stu. Przebiegłem całą wyspę, którą inni przemierzyli, szybko zrozumiałem, jak słynny autor nieczytanej powieści, że szukania jest na tyle tomów, ile z rzędu chudych lat. Nie było jej ani na równinie obsianej owcami, ani w kościele na wzgórzu, ani wśród alejek wysadzanych palmami, ani w kawiarni „U Kapitana Granta", w której siedzieli sami nasi naukowcy. Mogła być jeszcze wśród krzewów obsypanych pastelowym kwieciem lub w zaułkach arabskiego pueblo, lecz nie była. W przydrożnym sklepie dwiema puszkami piwa rozrzedziłem krew, żeby płynęła wolniej i dostosowała się do modnych tu kolorów, i podczas gdy ludzie z minami morderców wynosili skrzynki różowego szampana, snułem łyk za łykiem rozważania nad architekturą i roślinnością wyspy, nieposłusznej surowym kanonom borealnej tradycji. Niezwykły na północy mikroklimat, tłumaczono nam przed wyjazdem, niecodzienne połączenie południka z równoleżnikiem, ciepły prąd w środku zimy jak lody na gorąco. Pomieszanie z poplątaniem, taka jest obecnie moda, skosztujecie omletu norweskiego, tutejszej specjalności, to was olśni, choć nie rozgrzeje. Owszem, teraz konkludowałem, nie wyciągając wciąż poprawnych wniosków, całkowite zatarcie porządku i granic, pomylenie odwiecznych wartości z nowoczesnym non-formelem, prawdziwy post moderny, dużo i różnie zjesz, niczego nie poczujesz i białka ci nie przybędzie. Pójdziesz na lewo, odnajdziesz się z prawej, na szczycie drabiny będzie ci głęboko. A tak w ogóle to już jej tu nie znajdziesz, zdjęcia z wczoraj zakop w ziemi, a z pamięci zrób balonik; przyda się na tę noc.

Kupiłem do pary drugi, w kolorze pudru, z nakrapiany-mi srebrnymi półksiężycami, i powlokłem się do wyznaczonej nam sali jak smętny rycerz, który stracił oddział, lecz zachował proporzec. Po drodze spotkałem faceta biegnącego tradycyjnie z błyskiem w oku, pokazałem mu, gdzie zamieniają krew na wodę, i strzałka nastroju opadła o dalsze pół skali: jeśli nawet on nie wiedział, gdzie znikęła, jeśli nawet jego przy niej nie było, do głosu doszły siły ciemne i wrogie nie tylko Polszcze. Przestraszyłem się nie na żarty, lecz zdać się mogło, że niepotrzebnie. Bo oto pojawiła się w porze przystawki, z różowym balonikiem w dłoni. Wyglądała łagodnie, choć strach było pomyśleć, co zrobiła z drugim. Usiadła na prawym końcu stołu w formie podkowy, od strony wewnętrznej, gdzie zaczyna się pęcina, dokładnie naprzeciw mnie, tyle że do mnie plecami, i poczułem, że jako grupa dobrze podbiliśmy to kopyto, gdyż jeśli chodzi o mnie, miażdżyło mnie bardzo równo od lewej stopy po prawe ucho.

Rozpoczęła się zabawa. Na parkiet padły promienie różowego światła, głośniki strzyknęły znanym taktem. Rzuciłem się pierwszy. Byłem szybki jak wąż, stanowczy jak lew, żarliwy jak pirania. Na miejsce wróciłem jak żółw, jak wielbłąd jednogarbny, jak karp szerokogębny; w końcu też zwierzęta. Nie, nie dzisiaj, nie teraz, usłyszałem w odpowiedzi na moje dygnięcie i uśmiech straceńca; jutro pewnie też nie, dopowiedziałem sobie cichcem, a za tydzień to się zobaczy, kiedy minie tydzień. Jest godzina dziewiąta, sprawdziłem, wbijając się na powrót w podkowę, masz trzy godziny, zanim nowe na dobre zagości w jej sercu i na twoim grobie. Jak pięknie umierać w ostatni dzień roku. Jaka szkoda umierać o świcie.

Przetoczyła się pierwsza lawina transu. Z parkietu wystawały dwie porwane wstążki, trzy pęknięte baloniki i obcas zielonej szpilki. Ci, co przeżyli, posilali się langustami, przezornie ćwicząc łamanie kończyn dziadkiem do orzechów. Ci bardziej doświadczeni dopiero gotowali się do występu, spisując testament na różowych serwetkach.

Ja wiem, że szanse są niewielkie. Staram się domyślić, co szepce ci w ucho głos jutrzenki, gdy otworzysz powieki. I czym pluje ci w twarz wiatr nadlatujący z przyszłości. Jak Minerwa widzisz lepiej. Splotami nerwów czujesz nadchodzące zdarzenia. Nie będę o nic pytał. Gdy się już wszystko stanie, zachowaj na pamiątkę mój kapelusz, przyślę ci go pocztą, i album Dürera kupiony przed miesiącem, dostaniesz go tą samą drogą; wklej weń swoje zdjęcie, sprawisz mi przyjemność. Przeżyłem z tobą niezapomniane chwile. Oglądałem arcydzieła dostępne garstce szczęśliwych wybrańców. Na odwiecznym piasku zobaczyłem nasz ślad. Ale proszę cię już tylko o jedno. Kiedy wybije wreszcie ta godzina, kiedy Nowy Rok otworzy swe wrota i wpuści hołotę nowych sekund, dni i miesięcy, stańmy ramię w ramię, zaciśnijmy zęby i zaczepmy się z całych sił, tak mocno, jak tylko potrafimy, o framugę naszych wspomnień, o spotkanie w katedrze, o spacer nad rzeką z pominięciem odcisków, o szum przyboju za oknem. Może podtrzymasz mą radość. Może odsłonię twój uśmiech. A teraz zatańcz ze mną.

Dam wam dobrą radę: nie piszcie testamentów, popijając różowe wino, vin rosé. Pijcie białe, gdy zabieracie wszystko, czerwone, gdy wszystko dzielicie. Co prawda przy różowym wychodzi efektownie, czyż nie tak?, za to zupełnie nieskutecznie. Złożyłem serwetkę i zgrabnie wrzuciłem na jej talerz w drodze do toalety. Wypłukałem usta, zmyłem róż ze zlewu, umyłem ręce i długo je wycierałem, by dać jej czas na lekturę i wzmocnienie woli. Kiedy wróciłem na salę, tańczyła tango z Noir Tango. A potem zatańczy sambę z Murzynkiem Bambo, warknąłem do langust, a potem będzie polka z drużyną Bolka, rumba z Wielkim Makumba. Napiję się jeszcze różowego wina, a wam, langusty, połamię rączki, choć nie z waszej złej woli dzieją się tu dziwne rzeczy, a nasze spotkanie ma cechy przypadku. I poczekam cierpliwie do trzeciej rundy; zazwyczaj punktuje się ją nawyżej.

Spokojnie wypluwałem odłamki chityny jak Rambo górne piątki po zderzeniu z czołgiem, uśmiech też miałem jego, i przyglądałem się tańczącym parom. Zaciśnięte usta panów, rozchylone wargi pań, wszystko według najlepszych wzorów ludzkości, od dawna promującej linię prostą w klasie męskiej i czar głębi w klasie żeńskiej. Zaniepokoiła mnie jedna rzecz: nie, nie zmiana ról u pary najwdzięczniejszej, ona zacisk, on klasyczny gębodół plus oczopląs poza wzorem; uwagę przyciągnął kawaleryjski rytm, istna szarża na łeb, na szyję. Za dużo kroków czy wręcz susów w przód, za mało w tył; za dużo spojrzeń przed siebie, gdy tylko jedno za plecy, i głowa zbyt prosto trzymana, bez opuszczeń i przechyleń. A nas przecież nie stać dzisiaj na taki marsz ku nowemu w siedmiomilowych butach, nam trzeba figur krzywoskrętnych i stanowczych zawróceń. Z przodu czai się potwór prawdy obiektywnej, poczwara konkretnych uwarunkowań i niemożliwych decyzji, Jego Straszna Mość Nowy Rok i błazen Faktyczny Brak Czasu. Przyszła chwila na uruchomienie planu „Wieczny Powrót". Podbiegłem do didżeja i zamówiłem walca.

Nie zdążyła jeszcze wysłuchać sakramentalnego, choć nie przeczę, że szczerego: dziękuję za taniec, byłaś jak zawsze cudowna; i ponurego: tak bym chciał tańczyć z tobą aż do samej śmierci; gdy potrącając rozchodzące się pary, wtargnąłem na parkiet i jedną ręką opasałem dusicielsko jej kibić, jak uczył mnie ojciec, a drugą chwyciłem jej dłoń, uginając łokieć o pół kąta prostego i zachowując między brzuchami odległość noża kuchennego, wedle nauk matki. Zakręciło nami, zawirowało. Obroty walca odsuwały nas od swych punktów wyjścia, by bezzwłocznie ku nim powrócić; butelka wina, talerz i widelec, pożegnane w jednej sekundzie umykającym wzrokiem, wracały pod oczy w chwilę później. Żółta ściana z dziurą po gwoździu nosiła jeszcze ślad obrazu przy powtórnym popatrzeniu.

– Będzie to, co było – szepnąłem w rozognieniu – znowu wrócimy do edenu pod pozorem żelazka niewyłączonego, drzwi niezamkniętych.

– Za każdym razem, gdy nie myślę o śmierci – zinterpretowała odwrotnie i jękliwie – mam wrażenie, że kłamię i oszukuję kogoś w sobie. Będzie wiatr północny, nowy dzień, a za mgłą się zaczai…

Zwolniłem wirowanie, obroty obniżyłem, z jej dłoni wysupłałem dłoń. Na miejsce odprowadziłem, powietrze nad ręką cmoknąłem i wróciłem, dobre i to, do langust. Nie minęło kilka minut, a nad mą spuszczoną głową i pustym talerzem rozległy się jakże dobrze mi znane takty apaczowskiej melodii. Łup, tra la la, tra la la la la, łup, tra la la, nuciłem bezwiednie i wystukiwałem nutki widelcem o butelkę, aż przyjaciel Chińczyk spojrzał na mnie z trwogą. Nie, żadnych przemówień, uśmiechnąłem się dobrotliwie do gościa, tylko muzyka, taniec i nagi czas; kobiety i wino w drugiej kolejności; czy aby już wyciągnąłeś, drogi Chińczyku, wszystkie konsekwencje ze sposobu, w jaki tańczy się tango? Bach, trzy kroki w przyszłość, bach, teraz osiem, od ściany do ściany, wszystkie w jedną stronę, wszystkie ku temu, co przyjdzie niechybnie, a tylko jeden krok do tylu, na wstrzymanie. Nic nas nie uratuje, pętla się zaciska, już kopią w stołeczek. O nie, nagle się otrząsnąłem jak naród w osiemset trzydziestym, niedarowanie, tak ginąć za darmo? Dochodzi jedenasta, jeszcze nie jest za późno na operację „Czwórkami szli do nieba". Statecznym krokiem podszedłem do didżeja. Spojrzał na mnie życzliwie.

– Modry Dunaj, Wiedeń forever czy walc hiszpański?

– Chodzony, błagam, coś chodzonego.

Ścisnąłem bezpardonowo wyrywającą się dłoń i szyję odlatującego łabędzia i ruszyłem wolno, z namaszczeniem przed siebie. Władczym gestem ustawiłem za nami inne pary. Powoli, niespiesznie, krok za krokiem. Lewa stopa, dołączenie, teraz prawa, wciąż ślimaczo. Godnie wyjdźmy na spotkanie Nowego Roku, dumnie i bez paniki, z podniesionym czołem przyjmijmy ostrze w nas wymierzone.

– Będzie, co być musi – uśmiechnąłem się smutno – lecz przeżyjmy wspólnie, do ostatniej chwili, nasze spotkanie. Nie psujmy czasu, który jeszcze nam został. Choćby tylko miesiąc, choćby tylko dwa tygodnie. Nie przerywaj pieśni skowronka. Pozwól słońcu świecić. Niech orkiestra nie opuszcza tonącego statku. Teraz lewa noga.

– Tak, niebo ponure, a mózg mój jego firmamentem – przemówiła cicho. – Słońce razi mnie w oczy. Wiatr wpiął się we włosy. Rtęć zawczasu opadła.

Pstryknięciem kciuka podzieliłem szereg na dwa rzędy. U końca sali dwie pary spotykały się i wracały razem.

– Ja wiem – powiedziałem, wzdychając – wszyscy dojdziemy tam kiedyś, do sinawej linii horyzontu, za którym światło ciemnieje w prostokątnych pudłach. Każdy z nas, każdy szereg, w którym jesteśmy, grupa, którą tworzymy. A po nas przyjdą nowe szeregi. Przyjmijmy ten układ i wytrzymajmy go do końca. Idźmy powoli i godnie i smutek zaduśmy. Nowy Rok to jeszcze nie wyrok. Jest jeszcze tak pięknie. I znowu lewa.

– Pięknie byłoby narodzić się przed człowiekiem, i w tym leży tajemnica tajemnic – mruknęła, wróciła na krzesło i wsunęła ręce do kieszeni.

Podziękowaliśmy sobie wszyscy oklaskami, a drugą falą powitaliśmy uroczyste wejście pieczonych indyków. Leżały na plecach i wystawiały ku górze obnażone kikuty. Połóż się i ty, i kończyną pożegnalnie pomachaj, syknęła we mnie Imaginacja, albo choć światu pozłorzecz. Nie będziesz jak one, zadrgał we mnie Strach, podejdziesz, umocniwszy sznurówki, do didżeja i rozpętasz strategię ostatnią, „Wieczne teraz, sweet, kochanie, yeah...”. Pozwoliłem przetoczyć się nowym rytmom, tango nie tango, wszystko już jedno, i na ogólną prośbę pokroiłem indyka w mojej części stołu, dla siebie rezerwując kuperek. Kiedy już napełnił żołądek smakiem bezbronnej ofiary, z namaszczeniem odłożyłem widelec i dostawiłem do stołu krzesło, delikatnie głaszcząc je po oparciu. Wcisnąłem kapelusz. Przełknąłem ślinę. Zegar wybił za kwadrans dwunastą. Didżej spojrzał na mnie z jeszcze szerszym uśmiechem. W lombardzie też mógłby pracować.

– Bluesa, założę się, że chcesz bluesa.

Jego spojrzenie było przenikliwe, mądre, dobroduszne, z odrobiną kpiny. Skąd on się tu wziął? Nie widziałem go z nami wcześniej. A i później zniknął gdzieś bez śladu.

– Bluesa, tak, bluesa. Aż do północy.

– Na pewno chcesz? Na pewno?

– Tak, bluesa. Chcę bluesa.

– Nie ma sprawy, człowieku. Człowieku.

Nie mogła mi odmówić. Nie odmawia się spadochronowi, który otwiera nad nami czaszę, nie mówi się „nie" pociągowi, który pędzi, bo i tak się go nie zatrzyma. Można powiedzieć: daj spokój, albo: przestań się zgrywać, ale wtedy jest się bohaterką innej książki. W tej tutaj wchodzi się na parkiet jak na plażę w Normandii, pod obstrzał wszystkich oczu. Kładzie się dłonie na korpusie partnera w którymkolwiek miejscu, gdyż pozycje są zmienne i ruchome są punkty podparcia. Stąpa się według swego rytmu, który hebluje duszę, a jeśli partner też ma duszę, rytmy się łączą. Ściśnięciem mięśni brzucha wyraża się skowyt, pompowaniem policzków ostatnią wolę, a napięciem grzbietu radość trwania. To jest właśnie blues. A kiedy już pot zaperli się na czole, na znak zgrania myśli i ciała, woli i marzenia, słyszy się nad sobą zasapany męski głos:

– Jest, jak jest. A jak nie ma, to nie ma. Nic, co w sobie, nie odsyła poza siebie. Się ma się tylko do się. Mahomet do góry, lecz i góra do Mahometa. Tu jest tam, a tam tutaj. Jesteś centrum, a twój okrąg wszędzie. Czas jest tylko bajką albo kolorową ilustracją w księdze życia. Jak se łyknie, to odwyknie. Nie myśl o nim, baby, yeah! Można w lewo, można w prawo, każdy krok jest dobry, okej jest każdy gest. Tu się nic nie nalicza. Nie ma do przodu ani do tylu. Oby tylko z czuciem. Mgły nie mgły, tylko my. I to jest właśnie blues.

Nie padła żadna odpowiedź, ale nie powstał też żaden opór. Zatem dalej, wciąż żywiołowo i nietechnicznie, bez wyliczeń kroków, stopni odchylenia i chwil obrotu, bez prostej sylwetki i wyciągania podbródka, tam gdzie wskazuje ręka; żadnego następstwa i cofania się sekwencji w różańcu chronologii, tylko figury oryginalne i wyczyszczone z podręcznikowej maestrii. Dziko, drżąco, kłębiąco, libido bez pasteryzacji, półgłośne mamrotanie melodii, jak zalecają święte od nagłych wniebowstąpień po długich wątpieniach, jak sugeruje lot ptaka wyrywającego się z drzew, spacer pioruna po niebie. Zwiększyłem nacisk i sprężanie, innych już dookoła porwało, klepka uginała się, dziurawiona obcasami wbitymi w chwilę trwającą wiecznie, i tylko jeszcze ona, ona jedna, niebieskooka, nie zaczepiła się do końca. Więc ponownie docisnąłem, krąg tańczących przywołałem i ich oddech otulił nas zewsząd. Za trzy dwunasta, dostrzegłem kątem oka, gazu, niech zobaczy, że tu się sekund nie liczy; jeszcze skręt, jeszcze wykręt, dwunasta za dwie, za półtorej; czy zdążę, czy rozbroję ten zegar tym kolejnym zatupaniem, tym nowym podskokiem, minuta, już pół, wznoszą się szampany, sreberka fruwają, już się piana pieni, sekund pięć zostało, wbijam się okiem w jej oko, powieką z sił całych przecinam niewidzialną nić i oczy zamykam, wokół huk wielki się wznosi, a w niej trzask i tłuk, brzęk szyby pękającej, szkła rozpryskanego, szczęśliwego Nowego Roku, wznoszą się zewsząd gremialne krzyki, szczęśliwego Nowego Roku, zawsze i teraz, teraz i zawsze, podchwytują kolejne gardła i języki nowe, szczęśliwego Nowego Roku, wykrzykuję, teraz, nigdy i zawsze, tu i tam; i nagle rzuca mi się na szyję i obejmuje mocno i mówi mi w twarz: szczęśliwego Nowego Roku, zawsze, nigdy i teraz, teraz, nigdy i zawsze, tu i tam.

Piękna jest noc sylwestrowa, gdy spędzasz ją w miłym towarzystwie, dookoła słyszysz śmiech perlisty, a jeśli nawet chwilami przypomina chichot myszki, to też dobrze; gdy troski uchodzą jak gaz z szampana, a na deser wnoszą omlet norweski.

Zgaszono światła. Wrota od kuchni rozsunęły się i na salę wkroczył sam mistrz kulinarny, pchając przed sobą wózek niewielkich rozmiarów, świecący srebrem. Tryumfalnym gestem wyjął z kieszeni pudełko zapałek i rozejrzał się dookoła. Jedną zapałką, jedną zapałką, wrzasnąłem radośnie, poruszony nagle odległym wspomnieniem, jedniusią. Jedną zapałką, lecz długą pracą, odpowiedział poważnie i przytknął ogienek do długiego, ciemnego kształtu, spoczywającego na srebrnym półmisku. Fioletowy płomień rozjaśnił nasze usta i wybielił zęby. Nie ma obawy, Herostratesie Północy, podpalaczu dzieł własnych. Pamięć o wyrobie twoim i o znojnej pracy nie zaginie, jeśli moja publika dopisze. Twój omlet był boski, choć dla ludzkiej ślinki. Wewnętrzny krem lodowy, z czekolady, orzechów i owoców, z odrobinek kawy i z rodzynek białych większych, otoczyłeś ciepłym murem ciasta, w dotyku kruchego, miękkiego w przełyku. Połączyłeś dwa porządki, zachowując różnice, zniosłeś przeciwieństwo, słońcu dałeś księżyc pod głowę, krze pozycję trwałą, brzuch się na plecy przekręcił i nadal był brzuchem. Dzięki tobie i twojej dziwnie pomieszanej wyspie lepiej pojąłem i dałem do zrozumienia, że mgła to czas wysiudany, a wczoraj i jutro wychodzą na jedno i wracają też razem. I być może dzięki twemu różnicującemu zjednaniu żywiołów odmiennych usłyszałem, gdy brzask już się wznosił, to oto didżejowskie zawołanie:

– A teraz, szanowni państwo, taniec ostatni. Oto na specjalne zamówienie jednej z pań białe tango. Damy proszą panów, chyba nie muszę przypominać!!

Podeszła krokiem drwala do drzewa. Niepotrzebnie, kwiaciarki do wazonu w zupełności by wystarczył, wszystko było lekkie, piękne i zwiewne u kresu tej cudownej nocy. Ruszyliśmy jak wojsko do zwycięskiej defilady. Tango? Ależ nie ma problemu! Dwa kroki do przodu?, proszę bardzo, teraz sześć?, nie ma sprawy, jeszcze cztery się dorzuci i piątego kawałeczek. Czego się lękać, przed czym się trząść, skoro pokonaliśmy cię, chamie wielogłowy, hydro noworoczna, grzechotniku liczydle dni naszych; możesz nam teraz nafikać, Saturnie dziciożerco, między stopy pocałować, zagramy ci na nosie, Kronosie pazerny, jak ty zębem tu, to my susa tam, ty szczęką chaps, a my kroczkiem w bok, kup sobie lepiej nową protezę, mordo zakrwawiona, nas już nie dogonisz, dziadku smrodku, łup tra la la.

Wraz z cichnącymi akordami tańcownicy zaczęli opuszczać salę; na parkiet trafiły pierwsze plamy dziennego światła. Wyszliśmy ostatni, dolizawszy omlet. Na progu odwróciłem się, by pożegnać didżeja. Stał za konsoletą, patrzył na nas nieruchomo, z cieniem uśmiechu w kącikach ust. Prawą dłonią gładził swą piękną, czarną brodę. Lewą ręką pogłaskałem porozumiewawczo swoją. Objęci, doszliśmy do statku, wesoło gaworząc, sławiąc nauki wyspy i wdychając świeże smugi dnia. Na pokładzie zaintonowaliśmy znane piosenki o wstawaniu słońca, podchwycone przez większość grupy i jednego marynarza. Ziemia, krzyknąłem jak Kolumb à rebours, gdy dostrzegłem zarys portu, ludzie, ziemia, nasza ziemia, już tu stała nasza stopa. Popatrz, jest, jest, nasz autokar, o, tam z boku, wskazałem jej z kapitańskiego mostku, za trzy kwadranse dostrzeżemy dom. Nie puściłem jej ręki aż do drzwi pokoju.

– Widzisz, znowu jesteśmy, gdzie wczoraj byliśmy – szepnąłem, przekraczając próg.

– I znów jak jutro staniemy w oknie – odszeptała.

Z oddali doszedł nas pierwszy szum przyboju. Chmury zabrały swe sine kupry za horyzont. Ziarenka piasku na brzegu błyskały do nas okiem, a kamienie całą gębą.

– Za rzeką, w cieniu drzew. Za szczytem, w grocie króla gór. W gnieździe orła skalistego, w głębinach nieczynnego krateru. Tam złożę ten widok, żeby przetrwał. Ogłoszę w dzienniku ustaw – wymruczałem.

– Ty, czy mógłbyś powiedzieć coś normalnie? – poprosiła.

Chyba powiedziałem.

– Naprawdę? – spytała.

Skinąłem głową, bodajże.

Pisać też mogę normalnie. Dwa dni później nasz pobyt w ośrodku wypoczynkowym dobiegł końca. Wstaliśmy wcześnie i śniadanie zjedliśmy na chybcika. Były słodkie bułeczki na ciepło. Musiałem po raz ostatni wspiąć się na trzecie piętro i znieść jej walizkę, bo opóźniała odjazd. Po drodze zatrzymaliśmy się w zajeździe „Róża Wiatrów".

Odpoczywaliśmy równe pół godziny. Do Miasta przybyliśmy wieczorem, padał zimny deszcz. Pożegnaliśmy się i rozeszliśmy do swoich miejsc pobytu.

Aha, jeszcze jedno. Koncha prawoskrętna na piasku perłową dmie pieśń. Znak wodny na lilii osiadł liściu, w bursztynie zawisło powietrze.

Najpierw wysuwałem zza węgła głowę, jak wszyscy partyzanci i żołnierze wojsk regularnych, po chwili, jeśli korytarz był pusty, całą nędzną resztę i dawałem jej, stojącej w drzwiach, powszechnie znany znak: „chodź tu szybko", przy użyciu palca wskazującego, który zagarnia powietrze. Jeśli się wahała, dorzucałem: „prędzej, do jasnej cholery", tym samym gestem w wykonaniu całej dłoni. Ukrywała się w zakamarku, gdzie stał telefon, a ja zbiegałem na parter, przesuwałem się cicho obok wejścia do mieszkania dyrektora, podchodziłem w pobliże jego oszklonego biura i zza kolejnego węgła robiłem głęboki wdech. Jeśli nic nie czułem, wracałem na palcach na półpiętro i machając kapeluszem jak facet z chorągwią na mecie wyścigu, przekazywałem histeryczne: „dawaj teraz, ale to już, bo zaraz wyjdzie". Kiedy zaś łapałem w nozdrza fajczany dym, kasłałem przejmująco, łącząc naturę z kulturą, śluzówkę z funkcją kodu, i szedłem po rogaliki, podczas gdy ona już nazad w pokoju parzyła herbatę. W drodze powrotnej wstępowałem do biura, mówiłem wodzowi szerokie: dzień dobry, ależ pan dyrektor wcześnie wstaje, i podbierałem gazetkę wyłożoną na półkę. Cieszyły mnie wieści o sforsowaniu frontu przez armie wyzwoleńcze, współczułem oddziałom oblężonym przez bojówki reżimowe, nie miałem litości dla blokad drogowych, przeciwstawiałem się także budowie zapór wodnych. I od dawna wiedziałem, że żadne negocjacje do niczego nie prowadzą. Po przymusowym śniadaniu wracaliśmy do ofensywy, gdyż wódz na szczęście nie mógł usiedzieć na swym funkcyjnym stołku i były szanse przedarcia się do miasta. Na ulicy, porzuciwszy z ulgą i wstrętem wojskowe skojarzenia, odzyskiwałem spokój oraz wyobraźnię cywila i szczebiocząc wesoło, odprowadzałem ją za most do metra; most szczęśliwie nie był pod obstrzałem, a najbliższa łapanka rozgrywała się sto metrów dalej, gdzie energiczni poeci wciskali przydybanym turystom zbiory swoich wierszy, gdyż za wiersze białe już w ogóle nikt nie płaci. Niekiedy błąkałem się jak dezerter przez chwilę po dzielnicy, porównując dla celów wieczornych ceny napojów i rozmiary ciastek, niekiedy wracałem prosto do siebie odespać, jak to się pięknie mówi i ochotnie czyni, kolejną zawaloną noc i wydłużony poranek.

Nie od razu się do mnie wprowadziła i zagospodarowała intra muros, przenikała stopniowo, zostawiając jedną książkę, drugą książkę, jeden krem, drugi krem, aż liczebniki wreszcie przebrały miarę dla gościa, a w niektórych dziedzinach przekroczyły mienie gospodarza. Przychodziła wieczorem, godzinę później, niż zapowiadała, półtorej wcześniej, niż się spodziewałem, i mieliśmy czas do ostatniego metra, i niekiedy trzeba było skreślić z kolacji przystawkę, jeśli chcieliśmy zachować szansę na drugie danie. Czasu było niewiele, a tematów dużo, odmiennie traktowanych, jak to wtedy, gdy woda rozmawia z lodem. Pozostawiam do rozstrzygnięcia, co czyim było żywiołem, a czyim co nieszczęściem. Kiedy jednak robiła bryłki i śnieżki z tego, na co mnie by szkoda było pary z ust, rozumiałem, jak istotna jest noc dla wspólnej pogody, i odwlekałem porę wyjścia. Żyjąc tak, jak żyła, bez przedmiotów i bez gazet, wyłuskując z tego, co ją otaczało, rzeczy głębiej schowane, a te na wierzchu pozostawiając w spokoju, choćby z braku gotówki, lecz i z niechęci posiadania, z szarokomórkowej szafy wyciągając raczej woreczki z lawendą niż powieszone z brzegu stroje, uruchamiała dziwną spostrzegawczość i potrzebę dokładnego przedstawienia faktów. W naszym wieczornym pokoju jej pamięć i język podejmowały codzienny trud przekazu wydarzeń, a moje uszy uprzejmego puszczania mimo siebie. W zimowym pejzażu miasta woda i lód prowadziły takie na przykład rozmowy, które wyjmuję ostrożnie za skrzydełka spomiędzy uśmiechniętych ust naszych:

– Ładnie ci w tym sweterku, jak tak stoisz w oknie, w świetle neonu, tej nowożytnej aureoli...

szczegółowiej: „ten bubek wykładowca", „tamta wariatka z czwartego piętra". Przeciwnie, w jej relacjach byli to ludzie od a do z, z pełnym imieniem i nazwiskiem, podawanymi łącznie jak spodek ze szklanką, przychodzącymi jak Jan z Kowalskim, żadnego rozbicia na przód i tło, a do tego dodatkowa wiadomość o zawodzie zdobytym, a u tych z dłuższym ogonem, także o tytule naukowym. Wczoraj architekt Noir Tango przyniósł mi kwiaty, tak mówiła, podziękowałam mu i architekt Noir Tango odszedł zadowolony; jutro z Lalusiem Cwaniusiem, inżynierem dróg publicznych, i z asystentką Flo Papirus udajemy się na wystawę, asystentka Flo Papirus zawiezie nas swoim dużym, czarnym samochodem. Co będzie, gdy ktoś przedstawi jej się: „jam jest, który jest", jak go potem opisze?, zastanawiałem się, na szczęście ma jeszcze czas, może zdąży się przygotować. Wietrzyłem w jej opowieściach o innych ironię i kpinę, bo jakże nie rozsunąć warg w szczerym półuśmiechu, gdy pada informacja: Bode Wawer, profesor zwyczajny i członek Akademii, wziął mnie dziś na stronę i szepnął miłe słówko, lecz nie zgadzało mi się to z wyrazem jej twarzy. Ona, Błękit Na Ziemi, profesjonalistka i artystka, nie szła na skróty i nie kondensowała istot i rzeczy. Zbierała wszystko, co widać po drodze, i przedstawiała w postaci w miarę wiernej, w miarę pełnej, aż po zdobyte dyplomy i liczbę żyjących jeszcze dziadków, kotów pod kanapą i złotych rybek w akwarium, jakby z wyższego rozkazu kręciła film dokumentalny o dziejach każdego stworzenia.

W aksamitnych przerwach między jednym a drugim spojrzeniem przypominała sobie, co powiedział ktoś, gdy ją zobaczył gdzieś z kimś. Jeśli pochlebnie się wyrażono o jej życiu, twórczości i wyglądzie, informowała o tym równie beznamiętnie, jako fakcie wśród faktów. Potrafiła opisać dokładnie jakieś wydarzenie z sentymentalnej przeszłości, sprawiając wrażenie, że sama w nim w rzeczy samej nie uczestniczyła, że z góry obserwowała, co robi życie z formą i energią, które jej nadało. Bo to się właśnie dla niej liczyło: powstanie, w czasie i przestrzeni, działania, które mogło być takie albo inne, ale zawsze rejestrowane przez jej prywatną Agencję Każdego Poruszenia.

Co ona takiego w tych faktach widzi, zadręczałem się, sam niezmiennie wierny odwiecznej zasadzie, że wszystko płynie, a nawet leci na pysk, dlaczego tak uparcie kładzie twardą skorupę tam, gdzie rwący strumień, i jeszcze przyklepuje z wierzchu, przecież i tak nie przytrzyma go w dłoni. Zrozumiałem to pewnego dnia w hali tenisowej, to i tak nieźle, jak na miejsce do dumania, odbijając, bardziej, jak to ja, metaforycznie niż konkretnie, adresowane do mnie piłki, posyłając je przyjaciołom moim, lampom sufitowym, biczom wodnym za ścianą i pobliskim prysznicom święceń codziennych. Nagle, porwany myślą, że gram w tenisa, a ona w tym czasie już rejestruje ten fakt i wkrótce komuś przekaże, że „zna z imienia i nazwiska mężczyznę, który grywa w tenisa w klubie akademickim, można wejść za darmo, jak się ma legitymację; gra z uporem, ale zawsze przegrywa, wali piłki po bokach i sufitach, aż z szatni wychodzą popatrzeć, a przecież ma całkiem dobrą rakietę, z przeceny, lecz dobrej marki, Wilsona nr 4, takie okazje się zdarzają, trzeba tylko przyjść pierwszego dnia, przed otwarciem sklepu, można go poprosić o adres", poczułem, że potrzebuję tego odbicia w jej pamięci, tego lustra, które mi podstawia, i zacząłem uderzać piłki, myśląc już tylko o uderzaniu i dla zamknięcia obwodu za każdym uderzeniem wykrzykując: tenis. Grałem w tenisa, wykrzykując: tenis, jak sam Pleonazm Wcielony, aż ludzie zaczęli się rozglądać niepewni, czy rzeczywiście znajdują się na korcie tenisowym. Krzyczałem: tenis, i rakietą tenisową waliłem w tenisową piłkę, zdobywając tenisowe punkty, tak jak ona żyjąc mówiła: życie, żyjąc stwierdzała śmiało i bez ucieczek w sfery boczne istnienie procesu życia, jego faktów i wydarzeń, jego beznamiętnego perpetuum mobile.

– Moja ty Nieustraszona Poetko Egzystencji – szeptałem do niej przymilnie tamtego wieczora – mój ty śliczny Bycie Do Kwadratu, Błękitna Redundancjo, co byś dzisiaj zjadła, czego byś się napiła, żeby jutro opowiedzieć?

– Niczego. Wiesz, Noir Tango nie przyszedł dzisiaj na pierwszy wykład, bo nie chodziło metro. Był bardzo zdenerwowany. Ściął włosy i wygląda jeszcze młodziej; znalazł dobrego fryzjera w północnej dzielnicy, ale otwartego tylko po południu, można go poprosić o adres. Ja przyszłam w połowie wykładu i jak zawsze usiadłam przy oknie. Koleżanka z tyłu, Maria Pia, podała mi kartkę z rysunkiem, który zrobiła wczoraj.

– Dyrektor, Haha Nibal – powiedziałem – wspiął się dzisiaj z drabiną na moje piętro i sam zmienił żarówkę. Niezbyt zgrabnie mu szło, ale sobie poradził. Wreszcie zszedł, bo go żona, Cyntia Nibal, zawołała na obiad. Ciekawe, co jedli.

– No. Maria Pia przychodzi zawsze ubrana na biało. Tylko tenisówki wczoraj miała żółte.

– Listonosz, Noel Wolf, przyszedł dzisiaj dopiero po południu. Był w dobrym humorze, bo idzie na urlop. Zostały mu w tym roku jeszcze trzy tygodnie. Musiał już tydzień wykorzystać. Zapomniałem zapytać, dokąd pojechał.

– No. To co mi dzisiaj opowiesz ciekawego?

Łatwo zatem zrozumieć, że kiedy już u mnie zamieszkała, o ciszy nocnej nie było mowy, co najwyżej była mowa o milczeniu, moim, gdy bowiem głowa sięgała upragnionej poduszki, sprawiedliwie podzielonej na część większą i mniejszą, proszono mnie właśnie o opowiedzenie wydarzenia, bajki, historyjki albo powiastki, mogła też być dykteryjka, anegdotka, wspomnienie, w najgorszym wypadku jakaś dłuższa wypowiedź, w najlepszym wszystko, co wyżej, po kolei i z uogólniającym wstępem. Były z tym kłopoty, zapas referatów miałem ograniczony jak ilość liczb w totolotku i co rusz wracały mi do głowy te same piłeczki, narażając mnie na dowcipne uwagi w stylu: gdzieś już to słyszałam; jakiś pan opowiedział mi to przedwczoraj w łóżku; poza tym nie potrafiłem odróżnić puent od zagajeń, myliły mi się rozwinięcia z konkluzjami, jedne treści z innymi, no bo ostatecznie, myślałem uparcie, co takiego jest warte opowieści kosztem czegoś innego; jedna ziemia, jedno życie, jedna sprawa, bez względu na kolor kapturka i liczbę rozbójników czy wygląd kaczątka. Po bajce o sierotce Ali Babie albo o Wilku Czerwonym jak Królewna Śnieżka zdarzało mi się chwilami na trochę zasnąć i śnić niezwykłe historie o niezapominajkach mówiących ludzkim głosem czy o ptakach w upierzeniu z blond piór, choć usiłowałem ze snem walczyć, by solidarnie z nią czuwać.

Bo sen nie należał do jej zwyczajów. Przez swoje trwanie i przez noc w moim foyer szła z oczami otwartymi szeroko i głęboko. Jezioro, które nigdy nie zamarza. Srebrne koła światła. Kiedy budziłem się, by przewrócić się na drugi bok i ulżyć pierwszemu, gdyż łóżko, jak wszystko, co człowiekowi wydzielone, było jednoosobowe, czułem jej stroboskopowe spojrzenie i zwalniałem ruchy, zanurzony nagle w delikatnej nieważkości nocy. Czuwała. Zmęczona do granic, czuwała. Czy nadzorowała mój oddech i poprawiała jego nieregularności; czy śledziła, jak nadzorczy komputer, życie we mnie, wzrastanie anabolizmu z korzyścią dla późniejszych fotosyntez; czy była etatowym stróżem świata, błękitem rozciągniętym nad materią w przemianie? Tego nie wiem, lecz gdy mówiła: możemy dzisiaj nie spać, możemy tak sobie leżeć do rana, odczuwałem wstyd z powodu mojej pary nóg i rąk dwóch, i płuc za przepierzeniem z policzonych żeber. Może żałowała każdej chwili, może łóżko brała za autobus mknący przez bajeczną krainę złudzeń i nie warto było tracić żadnego widoku na jego nieskończonej drodze. Proszę bardzo, mogłem jechać, bilety były za darmo i sprawdzali je dopiero rano przy wyjściu z foyer, lecz na ogół chrapałem albo świszczałem przez nos. Chrapałem, a teraz to opisuję, taka jest kolejność rzeczy, gdy dusza zbyt gorliwie kuma się z korą mózgową i zasiadła w niej supergrupą bodźców. I tylko ona potrafiła rozwieść ich drogi, tamtych nocy, biorąc na siebie całą duchową stronę wspólnej przeprawy na kolejny dzień, mnie pozostawiając troskę o przeniesienie naszego ciała. Potrafiła nie spać, tak jak mogła, pamiętacie, nie jeść i zupełnie niczego sobie nie kupować. Było to dla niej za szczególne, zbyt dokładne w nieskończonym świecie, zanadto ukonkretnione w jego długim trwaniu. Żałowała na to czasu i uwagi, woląc od razu przejść do sedna, ofiarować siebie prosto z powietrza, z odwiecznej atmosfery w postaci niezależnej od ilości i długości spożywanych parówek, ciężaru powiek i wysokości obcasa. Czasami co prawda

to w sobotę, jak to na konkursach, a zaczęło od spaceru, jak u starożytnych. Minęliśmy imitację helleńskiej świątyni, ostracyzm samochodów przegnał nas z wielkiego placu w stronę parku, gdzie ujęci w światłowód trzech łuków już zawczasu tryumfalnych, przesunęliśmy się prosto ku ogromnej fontannie, po której pływały niewywrotne kolorowe żaglówki, dźgane kijami przez milczącą dzieciarnię. Ze stojącej obok budki telefonicznej raźnym krokiem wybiegł młody mężczyzna. Uśmiechnąłem się do niego przyjaźnie.

– Byłem tu nie tak dawno – powiedziałem, podając jej monety – wiele się tutaj zdecydowało. Tylko za wcześnie się umówiłem.

– Jaki chcesz kolor? – zapytała.

– Błękitny. Niebieski. Granatowy. Ażur. Modry. Szafir. Byle nie róż.

Pan od żaglówek sam wybrał dwa najlepsze, jego zdaniem, okazy i starannie dobrał kijki, sprawdzając ich elastyczność uderzeniem o wewnętrzną stronę dłoni. Nie chciał pieniędzy. Nie wiem dlaczego. Może spojrzał jej w oczy, może nie spojrzał w moje, może wziął nas za kogo innego. Zaczęło kropić, a deszczowe chmury grubiańsko przyśpieszyły wejście zmierzchu na scenę. Żaglówki ustaliły już swe kursy i dziarsko mknęły po basenie, co jakiś czas biorąc kąpiel pod tryskającym na opak prysznicem na środku i otrząsając się przy nabrzeżach. Jeśli zwlekały z odpłynięciem, prosiliśmy je o rozsądek najpierw głosem, a potem pałką. Niekiedy wpadały na siebie i kładły się na bok niczym rozbawione szczeniaki, czekając, aż ze śmiechem sprowadzimy je z powrotem do samotnej żeglugi.

Rozpadało się na dobre, a kolory naszych żagli straciły na sile. Powiedziałem to, co mówi się zawsze, kiedy leje, robi się późno, jest się ostatnim klientem i kram już pewnie chcą zamykać. Powtórzyłem. Otworzyłem usta po raz trzeci, lecz to nie z nich wydobył się głos. Śpiewała. Śpiewała cicho, choć w chórze z aniołami śpiewa się całą przeponą. Śpiewała dziwną pieśń w niezrozumiałym języku. Okrążając w deszczu fontannę, wchodząc we wszystkie kałuże od „do" do „si", odpychając żaglówki od brzegu swoim drewnianym kijem, śpiewała o domu, o dymie z komina i o ścieżce pod oknem. Albo o powrocie żurawi, gdy pierwsze kry ruszą. Albo o przemijaniu, radości dni pełnych i rozpaczy dni schyłku. Albo o pastuszce, którą z brzegu morza na swój statek zabrał syn króla. Albo o bezdomnej dziewczynie, która od lat tuła się po świecie i wciąż nie ma własnego kąta, lecz nie traci nadziei, tym bardziej że poznała ostatnio chłopaka w dechę, pięknego i miłego. Bo o czym innym mogła śpiewać?

Właściciel miejsca zaniechał wkładania żaglówek do wielkiego pudła. Uchylił rąbka plandeki na skrzyni stojącej obok i wkręcił korbę. W chwili gdy solistka nabierała powietrza przed nową strofą, rozległ się dźwięk katarynki.

Zrozumiałem, że jeszcze długo nie przestanie padać. Że jeszcze długo będę moknąć, od stóp do głowy i przez rękawy. I że moknąć mogę, a nawet chcę, byle tylko żaden ciepły i suchy powiew, żaden kaloryfer w kawiarni, dmuchawa w metrze nie wytarły z jej twarzy kompozycji z kropel, szczęścia i upojenia. I gdy tak obchodziła w półmroku zabetonowane w parku morze i dogadzała delikatnym, lecz zdecydowanym ruchem żaglówkom, zdało mi się, że widzę przed sobą pielgrzyma, który wyruszył w wędrówkę bez kresu. Swoim tułaczym kosturem sprawdzała ziemię przed sobą, obstukiwała wody i lądy, kazała rozstępować się oceanom, a puszcze prosiła o wydzielenie ścieżki, i błogosławiła wszystkim napotkanym, żywym czy wiecznym, i zbawczym dotykiem przedłużała im los, i napełniała się radością ich poruszeń. Szła w dobrą stronę, nie pod włos ziemi, nie wzdłuż włókien, i nuceniem dotleniała świat, toteż podbiegłem, żeby też coś z tego mieć, możliwie jak najwięcej; nie obróciła głowy, ale przysunęła ramię i przyklejeni ruszyliśmy dalej, bacząc, by żagle nadal wypełniały się wiatrem i pełnym halsem przecinały fale, a krople deszczu bez przeszkód wciskały się w uszy i wlewały za kołnierz w swej pionowej odysei. Odpływaliśmy coraz dalej i każde chlupnięcie w bucie było jak nowe uderzenie wiosłem lub wspięcie się na nową falę, i każde dotknięcie kijem jak nowy kilometr. A gdyby ktoś bystry spojrzał na nas z góry, na jej długą kurtkę i na mój płaszcz, poruszane mokrymi

zy oglądanych rzeczy, na pohybel sensualistom i na zdrowie dla neoplatoników albo odwrotnie, z dokładnością do jednej prawdy na dwa stwierdzenia. Tysiącami cisnęły się ku nam z siłą puszczonej sfory, prosząc o łaskę dostrzeżenia i uznania za własne. Przed chwilą otwarte perłowe puzderka, jeszcze drżące od wrażeń porcelanowe figurki pań i panów, rozdzwonione mosiężne bransolety, kindżały dopiero co osadzone w suto zdobionych pochwach, świeżo utkane kilimy perskie i nagle roztańczone statuetki bogów, maski strasznogębne, znów chętne do inkarnacji, nagle magiczne obręcze, stukające laski dżentelmenów z białymi kulkami i zbrodniarzy z czarnymi, i kije czarowników, naszych krewnych, dymiące pistolety bez swych ofiar, rozedrgane cytry i trąbki blachouche, wykwintne czajniczki ze złota, puszczające ku nam parę, klepsydry postawione znowu na opak – wpadały w nasze orbity z czarnej koszmarnej dziury, gdzie wirowały bez życia, ładu i składu, i budowały teraz nową galaktykę, w której my byliśmy nowym centrum, nieco zmokniętym słońcem. Ze sklepu z rzadkimi instrumentami rozchodziła się mechaniczna muzyka pozytywek i w jej dworskich dźwiękach prowadziliśmy nasze splecione ciała, szczęśliwe bezgranicznie, ale centralnie umieszczone, wśród włości zbudowanego dla nas na nowo systemu, gdzie wszystko miało swoje miejsce i wysoką cenę. Szczerze mówiąc, wolałbym za podkład saksofon, podobno bardziej pasuje do nieśmiertelności.

A do żniw najlepiej pasuje flet prosty, kiedy się już odłożyło kosę. Zacznę od fletu, gdyż żniwa opisuję od dobrych paru stron. Przyniosła go na moje usilne nalegania i na początek zagrała pieśń trubadurów z wczesnego średniowiecza, jeśli się zgadzałem. Na późny barok też bym się zgodził i nie miałbym nic przeciwko renesansowi z wpływem romantycznym; nie byłbym też obojętny na muzykę przyszłości. Miejsce miałem dobre, z prima słyszalnością, tylko widoczność pozostawiała to i owo do życzenia. Dlatego przykląkłem przed nią, w nadziei, że z bliska zrozumiem lepiej związki dziurek z dźwiękami, a świętej Cecylii z kobietą współczesną. Są duże. Ale ulotne. Widz wytrzeszczał oczy, wysuwał język jak wąż meloman i dziurki już odzyskiwały ponurą głębię, a świętość ludzki wygląd grzesznicy zawstydzonej obnażeniem swych skrytych talentów.

– A... a czy piszesz również... pewnie już coś wydałaś? – zapytałem z niepokojem.

Zabrałem się do pichcenia kolacji, a za plecami grano mi sarabandę i pieśń wiosny, i Julię z Romeem na specjalną prośbę kucharza. Ciekawe, czyby ją lepiej doprawiła, zastanawiałem się, wlewając zupę do zlewu, sądząc po zlewie, tak. Ciekawe, czy lepiej by wiersz wyrecytowała, obraz oceniła, powieść zrozumiała, podłogę zmyła, dziecko we łzach pocieszyła, rozmowę poprowadziła, kwiaty ułożyła. Przecież tlen tak samo w sobie rozkładała, podobnie jak ja, dodając podwójny węgiel, na kurzajki na stopie stosowała równie nieskuteczne metody co ja, kto wie, czy jeszcze nie starsze, a jej zęby potrzebowały równie dużo pasty, by nie zdradzić światu, co się w środku nas wyprawia. Gdzie jest różnica, zastanawiałem się, krojąc pomidory, dlaczego w jednym jest więcej pestek, a w drugim soku. Gołym okiem nie dostrzeżesz, ale nie rezygnuj z dociekań.

– Ja też chciałbym zagrać – powiedziałem nieostrożnie, szatkując cebulę i ogórka. Do dzisiaj nazywam tę sałatkę wiedeńską, choć w rzeczy samej była grecka. – Tak sobie pograć, troszeczkę.

Zerwała się na równe nogi. Ze swej torby kosmopolitki, w której wielorodność treści konkurowała ze spontanicznością rozmieszczenia, a siano z popularną igłą, wyciągnęła drugi flet i potrząsnęła nim tryumfująco jak cenniejszą połową przysłowia.

– Zaczniemy od Mozarta. A jutro Strauss – oznajmiła.

Tak, wierzyła nieskończenie w harmonię dwóch dusz, we współpierścionek pary gwiazd. Kiedy zagrałem pierwszą nutę i przeleciałem po gamie jak listonosz po piętrach, wierzyła nadal. Nie strać nigdy wiary, błagałem ją w duchu i krzyczę dzisiejszego wieczora po drugiej godzinie prób; nigdy nie przestań pokrzykiwać, sztorcować mnie półwesoło i całą naprzód, docinać mi i histerycznie się zaśmiewać, ciężko wzdychać i przepraszać, by za chwilę ponownie zezłościć się na moją nieuwagę i niepojętą inklinację do staccato w partiach rozlazłych. Wybaczę ci twój dobry humor i zwykły uśmiech, a nawet pogodę ducha, gdy jesteś głodna, niewyspana, bez własnego kąta i gotówki, ale nie zgadzaj się, proszę, na akord „sol", tam gdzie jak wół od wieków jest napisane „la". I weź sobie do serca to staccato, jest nie na miejscu.

Podsuwała mi więc ten flet, bym biorąc dziurki za szczeble, wdrapywał się do doskonałości, a gdy już przejdę na jej stronę – odegrać na dwadzieścia palców, cztery wargi i dwie stopy do wybijania rytmu koncert jedności z krzyżykiem b-moll na nieskończoną drogę. Dla zatarcia naturalnych granic była gotowa na wiele, mogła garściami wybierać, taczkami wywozić spod dłoni, ust i oczu stosy powietrza, dzielące człowieka od człowieka, stypendystę już bez stypendium od stypendysty, któremu jeszcze płacą. Cóż, robiłem to, co mogłem, choć na ogół nie to, co powinienem, akordy myliłem, długości nie przestrzegałem, praktykowałem, ale do końca nie wierzyłem. Niemniej zostało mi w głowie parę melodii na dwa głosy, które odgrywaliśmy wspólnie przed rozlaniem zupy na dwie łyżki i podziałem sałatki na dwa widelce. Gram je czasem, zmieniając sobie talerze, parę prostych dmuchnięć i pyknięć palcami, i następnie piszę opowieść o muzykantach, ciesząc się, że miałem tyle szczęścia, bo gwoli suchej prawdy faktów flety proste miała za proste, boczne za nieistotne, a jej koronnym instrumentem były wiolonczele.

Więc żniwa, trzeci raz powtarzam, pierwszy raz biorę się do wyjaśniania, aż zrozumiecie i nagrodzicie nas oklaskami. Tak, przyjmijcie aplauzem nasz miesiąc miodowy, zbieranie morskich siewów, spijanie piany wcześniej zabełtanej, wymiany na kłosy zebranych muszelek i mas perłowych. Przyklaszczcie moim pomysłom wspólnych spacerów do dzielnicy handlowej po godzinie dwudziestej, zwiedzania galerii i muzeów ze zniżką w dni świąteczne, pójścia na koncert darmowy dla rzesz studenckich. Nie szczędźcie oklasków jej inicjatywom patrzenia sobie w oczy bez uśmiechu, spotkania dłoni na stole podczas chwil wspólnych lektur, otarcia się plecami w wąskim gardle korytarza oraz idącym w podobnym kierunku moim sugestiom splecenia ramion podczas wieczornych wiadomości i podczas wypraw do stołówki studenckiej, znanego miejsca spotkań niekoniecznie zakochanych, lecz zawsze głodnych doktorów i docentów z krajów Europy środka i Afryki równika. Bijąc nam brawo i tupiąc z ukontentowania stopami, nie zapomnijcie wszak, że oklaskujecie zarazem samych siebie, swoje własne pojawienie się na ziemi, pośród gór, łąk, rozpadlin i pustyń, bo przecież takie życie nam dano, tak wyposażono nasze mózgi i portfele, tak skonstruowano opuszki palców i taką czułą tkanką wyłożono usta. I skoro już tak nam dobrze idzie, skoro miłym blaskiem świecą nam spojówki i młoteczki dziarsko stukają w głębi uszu na wieść o radości, a nawet zadowoleniu, dorzucę do tej fury

i wreszcie machnięcie dłonią pełne ekceptacji. Niech sobie patrzą, jak się do mnie tuli, jak policzki wygładza, jak zagaduje do mnie wesoło i cicho szepcze, kładzie mi się na kolanach i klepie w ramię, puszcza oko i łapie za nos. Niech się zbijają w kupki i dyskutują o osiągnięciach regionu, rzeczywiście okazały się nadspodziewanie wielkie i długo nie mogłem wyjść z podziwu; niech admirują konie królewskie w słynnej stadninie pałacowej i byki sztucznie rozpłodowe w ich centrum jednego aktora, niech doceniają największą oczyszczalnię ścieków i zabytek średniowieczny; my pójdziemy dalej, w kąt stajni, gdzie hasają źrebaki, schowamy pupy przed pożądliwym wzrokiem byków, a za zastawką z filtrem węglowym oczyścimy serca z brudnych myśli o brakach, które nas dręczą, i wyborach, które już cisną się za rogiem, i we wszystkich tych miejscach odegramy wielką scenę Rozdzierania Zasłony Świata.

Proponuję teraz, jako zwolennik lektury uciążliwej, pewien eksperyment. Proszę wyjąć dowody osobiste bądź paszporty na wszystkie kraje świata, otworzyć je na stronie prezentacyjnej, tam gdzie uchwycono wreszcie wasze cechy szczególne oraz ciepłe spojrzenie na fotografa, i odpowiedzieć na pytanie: A kto to dał tam swoje zdjęcie i kto użyczył imienia i nazwiska? Kiedy już odpowiecie, dowiecie się ode mnie, że nie rozdarliście zasłony świata. Ponieważ nikt tak jak ona nie mówił „ja". Przystawała blisko, wspinała się na palce, te najbardziej wytrzymałe, najmniej odkształcone długą dominacją buta, i rozwierając ramiona, wypowiadała ową krótką sylabę, brzemienną w tyle ludzkich historii, która teraz domagała się uznania przez moje ramiona, policzki i usta. Był to zawsze cichy krzyk, z twarzy ściśniętej tak, że nic w niej nie pozostawało dla przypadku: każdy muskuł, każdy por i pryszcz efemeryda brał w nim udział. Nie była to jednak, przynajmniej nie tylko, prośba o przyjęcie jej „ja" osobowego, związanego z tym tu miejscem, z tą niebieską koszulą i z tym tu człowiekiem naprzeciw; ten napięty i silny głos rezonował w niej koncentrycznie i uderzał wtórnie, zanim jeszcze uczyniłem jakikolwiek gest, w mur, który widać w każdym z nas, jeśli choć raz przyszło nam na myśl pytanie o nasz rodowód. Czułem, jak przecina tę przeszkodę, rozdwaja ją, i pochylić się mogłem nad odsłoniętą wyrwą. Z drżeniem, obawą i tak dalej myślę o tym, co widziałem, gdyż były tam rzeczy i straszne, i piękne, poetyckie ciągi komórek i formowany w kości wapń, lecz ujmijmy je w cichą pracę nawiasu; liczyło się bowiem to, że stawała mi przed oczyma wegetatywna siła dążąca bezwzględnie do utworzenia czegoś osobnego, co przybierze wreszcie kształt oddzielny i świadomy siebie i co zawoła błagalnie o ratyfikację i dotyk z zewnątrz. Porażony wyciągałem dłonie, by zasłonić na powrót ten nagi widok i w ramach konkretu kobietę utulić.

Tak było w stadninie koni i w oczyszczalni ścieków, a potem z rzadkością złota w piasku jeszcze w paru innych dniach i miejscach. A tamtego wieczoru na balu w remizie strażackiej chciała się bawić, chciała się śmiać i być wciąż razem jak prymitywna wspólnota, i nie odstępowaliśmy się na krok z wyjątkiem indywidualnego twista. Jak za dobrych dawnych czasów udało mi się, po skrętach dwubocznych i ryzykanckim odchyle, dotknąć potylicą ziemi. Nie byłbym sobą, gdybym nie dodał, że całą głową byłem w chmurach, a może nawet w siódmym niebie.

Dni stawały się dłuższe, jednak spać i tak gdzieś trzeba było. Zmęczeni tułaczkami po mieszkaniach przyjaciół naszych przyjaciół, niemających już więcej przyjaciół i nieznających innych korzystnych porzekadeł, wylądowaliśmy w hoteliku centralnie położonym i tak obskurnym, że przedłużył wspomnienie o foyer swą codziennie czynną kolekcją karaluchów i odświętnym migotaniem żarówek w bocznych lampkach. Ale w zamian nie musieliśmy sprawdzać, czy szef już wstał i sięgnął do tabakiery. To nos sam przychodził rankiem do nas, ogromny, spuchnięty i pokryty brodawkami, a wraz z nim chuda doczepka właściciela. Całość waliła w każde drzwi po kolei, czym tam pod ręką miała, najczęściej kluczem francuskim, i dalej pytała bezszyfrowo: Zostajecie? Zostajecie do jutra? Gdy zwlekano z odpowiedzią, padało niezmienne: Trzeba się zdecydować, do ciężkiej cholery! Właśnie. Skąd on wiedział, że płaci się codziennie, lecz decyzję należy podjąć, zanim się wstanie, a najlepiej jeszcze przed położeniem się? Że jeśli chce się przedłużyć, to trzeba z góry wiedzieć? Dlaczego, kierując się jego węchem i wieloletnim doświadczeniem z ludźmi skazanymi na jeden pokój i wspólny prysznic, nie zapytałem jej już pierwszego ranka: Zostaniesz? Proszę, zostań! Może zostaniesz? Błagam, zostań!, tylko dalej piłem kawę? Odpowiem na te pytania, a wy odpowiedzi oceńcie w skali od 0 do 10. Z wyłączeniem szóstki, bardzo proszę.

Dlatego że po zimie przychodzi wiosna, a ta czeka na lato. Bo leży kamień przy drodze, a jak się kopnie, to poleci. Bo stoi książka przy książce, a za nią jeszcze jedna. Bo skądsiś wieje wiatr, ale dokąd, nie wiadomo. Bo cicho szemrze rynsztok. Bo zasnęły nasze dzieje pod jeziora licem. Bo to jest romans środkowoeuropejski. Bo jak się wyjeżdża, to nic nie można zrobić.

Nie potrafię dokładnie określić, kiedy złe zapukało siekierą do drzwi, kiedy pod werniksem naszych dni dostrzegłem coś kosmatego. Tu żadne ludzkie miary nie pomogą i ja od egzaminu dojrzałości nie stosuję już żadnych cyrkli i centymetrów, a marynarki noszę tylko kupne. Przyciśnięty do ściany konstrukcją opowieści, gotów jestem jednak wyznać, że rzeczywiście czarno zrobiło mi się przed oczyma w pewien wieczór, w kolejny wieczór naszych lektur na dobranoc. Sprytnie wprowadziłem ich zwyczaj, kiedy w rozpaczliwym poszukiwaniu w pamięci

wszechne dzieje czy indywidualne zniknięcia? Czy martwiła ją zaraza we wsi średniowiecznej i powodzie stulecia w roku trzytysięcznym naszej, a może już nie naszej ery? Marność pracy rąk, głów i serc, swetrów niepotrzebnie wydzierganych, garniturów nienoszonych, kogucików na patyku? Czy myślała ogólnie tylko o przyszłości nas wszystkich, czy też to w jej własnym wnętrzu dudniły najgłośniej kroki Srogiej Nawiednicy? Czy bała się KGB tkanek złośliwych, a może długów nieoddanych, przysiąg złamanych? Czy łzy jej wyciskały decyzje mafii-ośmiornicy, rodziny nieświętej, czy raczej wyroki zwykłej kolejności losu, oddzielnych języków, miejsc zamieszkania i innych paszportów? Czy lękała się swego odejścia za wodę czystą, czy przejścia w inny stan skupienia, imienia, zawodu i adresu? Dawała wszystkie odpowiedzi, lecz na które pytania? Nie potrafię powiedzieć. Załóżmy, że nie wiem. Powtórzyć tylko mogę, a nawet muszę, że ostatnie słowa doczytała, łkając otwarcie, po raz pierwszy za mojej w jej życiu bytności głośno i wyraźnie, i odwróciła się, przykrywając kołdrą głowę i z płaczu czyniąc podziemny wstrząs. Głaskałem ją po zagipsowanych, zamkniętych dla mnie rysach i krew z moich żył zalewała biel poszewki sympatycznym atramentem. Głaskałem ją po ciemnej stronie księżyca i powtarzałem niezdarnie, ale wyraźnie, bo uszy też zabrała na drugi brzeg, żeby nie płakała, żeby pamiętała, że kiedy przykrywa twarz, jestem po tej samej co ona stronie i kiedy się chowa, to ja też się chowam w tym samym miejscu, bo innego nie mam, i na dowód tego braku przydusiłem sobie głowę drugim końcem kołdry. Skończyło się na ogólnej szarpaninie, każde chciało mieć swój kawałek, oczywiście kołdra była za krótka i nie starczyło dla wszystkich, i cieszyłem się, że porzekadła są nie tylko mądrością narodów, lecz także zbawieniem dla jednostek. Kąciki ust wzdęły się w uśmiechach, kryzys wrócił do normy, którą była od kilku nocy rozmowa jej ręki z moją ręką. Nie wiem, co jej tam kodowała, ręce mają swój odrębny podszyfr, nie w pełni dostępny szarym szeregom myśli-szperaczek, coś jej palce, gdy już zasypiałem, wystukiwały w mój nadgarstek, coś przedramieniu sugerowały delikatnym naciskaniem, ale wiedziało moje gardło dzięki kuli w przełyku, wiedział żołądek ściśnięty tradycyjnym powrozem. Toteż dni nieco poszarzały, choć zrobiło się cieplej i mogliśmy już bez swetrów liczyć mostom przęsła, a sobie nowe wspólne kilometry z dokładnością bez przecinków, i zakładać się bezwstydnie o listek figowy, które drzewo pierwsze puści pąk. Powiedziałbym, że wino, które spijaliśmy, zrobiło się coś za szkarłatne, ale czy to będzie zrozumiałe? A jeśli powiem, że kawa poranna mniej smakowała, będzie lepiej?

Dokąd pójść, gdy semafor opuszczony, jak wyjść, jeśli drzwi zatrzaśnięte? Najlepiej dreptać w miejscu, nogom dać nadzieję, oczy poprosić o zeza albo przechodzić z pokoju do pokoju i wracać, gdy pora późna. Tak sobie niby żyliśmy, nie zmieniając przyzwyczajeń, rzeczy nasze codzienne wzywając na apel poranny i odśpiewując nasz hymn wierności na wieczornym i, jak to powiadają jedni, gdy inni pytają, jakoś szło, a w porywach nawet podskakiwało i rzucało się na szyję, biorąc znany rozpęd, i w zadumach nie za bardzo opadało, w końcu mieliśmy być sobie dalej, tak jak dalej płynie rzeka bez względu na poprzeczne mosty i odległość od ujścia. Kiedy jej nie było, zwracam uwagę na urok tego wyrażenia, zajmowałem się sobą, zbierałem wycinki, które mogłyby się kiedyś przydać, gdyby „kiedyś" nie było gorsze od „teraz", notowałem tytuły i miejsca wydania, zastanawiałem się poważnie nad kupnem butów zdolnych poprowadzić dalej mój instynkt życia, i w nowych już, z podwójną gumową podeszwą, kolorowymi sznurówkami i nazwą firmy przy kostce, toczyłem zawodowe rozmowy mogące posłużyć oraz słuchałem wypowiedzi innych. Jak bardzo zajmuję się sobą i jak bardzo tych butów potrzebuję, dowiedziałem się podczas ostatniego wykładu Młodszego Sztukmistrza.

Moi wspaniali Egzegeci. Wielki Filozof, Duży Pisarz, Rzeźbiarz Długi, Blondyn Nicości, Sztukmistrz Młodszy. Ja żyłem, a oni tłumaczyli i zarabiali pieniądze. Ja przedzierałem się przez kształty i cienie, niosłem wydarzenia jedno po drugim, a oni nizali je na nitki uniwersalnych porządków, wszechświatowych norm; wkładali w nawiasy

pomijać wpływów formalnych i zbieżności historycznych, ciągnął Złotousty. Dürer, proszę państwa, Dürer, codzienne w tym czasie wizyty Rzeźbiarza na wystawie Mistrza, niemal utożsamienie się z nim, aż po wzorowanie swojego na jego podpisie. Może otwórzmy okno, duszno tu jakoś, niektórzy z państwa pobladli. Po chwili zrobiło mi się zimno, ale słyszałem wyraźnie: Długiego Rzeźbiarza zafascynowała szczególnie geometryczna figura na najsłynniejszej rycinie Norymberskiego Mistrza; po prostu Dürera, fiucie, dogadywałem bezsilnie. Na tej, gdzie ten Renesansowy Geniusz, Artysta Stulecia, przedstawił melancholijną postać, otoczoną różnymi przedmiotami i wpatrującą się właśnie w wielościan złożony przed nią na stole. Długi Rzeźbiarz wykorzystał zapewne ten figuralny motyw, powtórzył go swoim dłutem, odkrywając przy tym rzecz niesłychaną, niesłychaną. Wieczorem czy rano, dopytywałem się w sobie głupio i złośliwie, za łóżkiem czy za ścianą? Zaraz to państwu pokażę, odpowiedziano mi pośrednio. Zobaczył i wykorzystał ją na koniec do swego żałobniczego dzieła. Na górnej płaszczyźnie wielościanu dostrzegł widmowy wizerunek, wizerunek jakby zniekształconej, jakby zamglonej twarzy. Co państwo na to? Siedziałem cicho jak mysz pod miotłą. Głucho i prosto jak gwóźdź w trumnie. Twarzy, o której – Młodszy Sztukmistrz zawiesił głos, lecz niestety nie wyszedł z sali – powiem: jest portretem samego Artysty. Podniosła się wrzawa. Bo na tym, rzekł jasnym, mocnym głosem, polega praca żałoby. Prymitywna, narcystyczna praca, lecz praca zbawcza. Dotknięci stratą, najpierw utożsamiamy się biernie z Naszym Utraconym. Przechodzimy na jego stronę, by wciąż z nim być. Stajemy się sami kamieniem, którym on stał się dla nas, i prowadzimy z nim niemożliwą kamienną rozmowę. Własne rysy pokrywamy całunem, wybrzuszonym jego profilem. Nieustannie dotykamy martwej bryły jego twarzy i przytykamy do niej swoją, tak jak chyba Dürer, tak jak na pewno Długi Rzeźbiarz, żłobiący linie własnej fizys na ścianie figury, wyobrażającej twarz jego Straconego. Jesteśmy jak Narcyz nad zmąconym strumieniem; i nad morzem wzburzonym, przypomniało mi się; i nie mogąc w rozpaczy widzieć obrazu siebie żywego, pulsującego na przezroczystym tle, żądamy odbicia na ciemnym tle Odeszłego, chcemy, aby nasza twarz była z jego martwą twarzą. Aż wreszcie przychodzi moment, spojrzałem na zegarek, kolacja była umówiona za godzinę, a potem spacer wzdłuż rzeki i powrót oświetlonym bulwarem, raczej lewą stroną, moment końca żałoby: z bezkształtnej Odeszłej Twarzy zacznie wyzierać już tylko nasza foremna twarz. I oto Żałobnik po bolesnej samoredukcji, czemu nie po autozwężeniu, zakpiłem sobie bezgłośnie, po, jak by tu rzec, autozwężeniu do obrazu Niepowetowanej Straty, odrywa swe odbicie, wypycha spod swego wizerunku nierozerwalne, zdawałoby się, martwe tło, odsuwa w przeszłość bezkształtne tło

Twarzy Straconego, odnajduje swą własną twarz i przywraca ją do życia. Picia, wycia, gnicia, tycia, zrymowałem bezmyślnie, choć przecież chciał dobrze. Nie wiadomo, kim byłby Artysta, padły ostatnie słowa, gdyby nie przystawił do rzeźby żmudnej, krwawej pieczęci swej twarzy, po to by ją potem ozdrawiałą odzyskać. Nie wiadomo, czyby poszedł dalej swą twórczą drogą, czy przeniosłyby go dalej jego długie kroki, zakończył Młodszy Sztukmistrz i złożył kartki. Dziękuję państwu za uwagę. Dziękuję za uwagę, szepnąłem. Wyszedłem ostatni; ja zgaszę światła i zamknę salę, powiedziałem Sztukmistrzowi, proszę już iść.

Ławek w parku było sto dwadzieścia pięć. Szedłem powoli i patrzyłem, jak moje stopy w moich nowych butach prą do przodu, zaliczając dystans kopniakiem w kolejne mijane kamienie. Odskakiwały, fukając gniewnie. Koło jak zawsze się zamyka, tłumaczyłem im, jak na tę książkę zanadto dokładnie, choć przecież kawa na ławę. Znajomy miał rację, Ziemia jest okrągła. Przyszedł do mnie Modry Kwiat wraz z twarzą Geniusza Renesansu, a ja byłem twarzą nieobecny jak ośmiościan. Teraz odwrotnie, ja mam być artystą silnym jak Geniusz, Długim jak Rzeźbiarz, podczas gdy Ona mi niknie za abstrakcją kołdry, za gipsowym wielościanem bieli. Nie mogę trwale bielą gipsu się z Nią podzielić i kołdrą się omotać, muszę pójść dalej, moją twarz z tej bieli wyrwać. Sto dwadzieścia pięć słupów milowych, zwróciłem się do siebie. A za nimi będą kolejne. Twoje buty przeniosą cię w przód. Przy pięćsetnym nie zauważysz różnicy, będzie wciąż w tobie mgła i we mgle będziesz tonął na wieki. Po tysięcznym przestaniesz kopać kamienie, po iluś tam następnych podniesiesz głowę, odzyskasz władzę w ustach i autonomię nosa. Jeśli potrafisz. I dalej poniesiesz swój obóz, a ona zniknie po drugiej stronie horyzontu, wśród zapomnianych lodowców. Swoim okiem sprawdzisz swój zarost, znowu urośnie. Pogoda będzie niezła, nałożysz tylko marynarkę, wyjdziesz, coś tam załatwisz na mieście. Jeśli będziesz miał szczęście i urząd otworzą. Jeśli będziesz miał szczęście.

Nie chcę, zadzwoniło we mnie tak, że przystanąłem, nie potrafię; nie odchodź tam, nie rozjeżdżajmy się w różne strony, nie rozrywajmy mechanicznymi końmi samolotów naszych zrośniętych dłoni bliźniaczek. Przyszłość to przeszłość, pamiętasz, tylko cokolwiek dalej, tak u mnie twierdzą, a ja to ty, zarost się nie liczy. Dołożyłem sobie jeszcze ze trzydzieści ławek.

Wróciłem spóźniony prawie dwie godziny, a mimo to czekała już na mnie.

– Sto osiemnaście minut – powiedziała. – Wieczność. Daleko byłeś?

– Daleko. A te buty świetne, dobrze niosą, bardzo wygodne, żadnych odcisków… Teraz tylko trochę pasty. Mogę twojej?… A ty co robiłaś? Nudziłaś się pewnie?

– Nie, rysowałam trochę. Idziemy?

Nie lubiła rezygnować z tego, co zaplanowaliśmy na wieczór. Mimo opóźnienia przeprowadziliśmy całą akcję, z tą jedną różnicą, że wróciliśmy prawą stroną bulwaru.

– Widzisz – powiedziałem jej po powrocie, obciągając pastą szczotkę i patrząc, jak niebieski pasek fluoru wypełza poza włosie – nie da się wszystkiego dokładnie wymierzyć. Dlatego zostawię ci mój stały adres i numer telefonu.

Nie spodziewałem się, że zostawianie też tak dobrze opanowała.

– Wyjeżdżam pojutrze – powiedziała, myjąc zęby ruchem pionowym, jakby wierzyła w piekło i w niebo. – Ciotka chce, żebym z nią pobyła, jest teraz sama. Mieszka w Montrealu, na przedmieściu, we włoskiej dzielnicy.

Szczotka zatrzymała się na górnym dziąśle, dolne przekazało pianę.

– To nawet dobrze się składa – dorzuciła – ty też już niedługo musisz jechać.

Szczotka wróciła na dół, góra zalśniła jak północne śniegi, zlew przyjął ofiarę.

– Potem się jakoś zobaczymy – wypluła do końca.

– Nic się nie da teraz zmienić? – spytałem, sięgając po pastę.

– Wolałabym nie.

– Wezmę urlop, szefową mam do rany przyłóż i przyjadę latem, zwykłym albo indiańskim – powiedziałem, rysując na czole krzyżyk. – Ciocia poczęstuje konfiturą.

– Wolałabym nie.

Dostawiłem drugi krzyżyk, a na policzkach namalowałem po trzy paski.

– Pies drapał, a koza bliska zgonu, lecę z tobą, albo ty jedziesz ze mną. Za trzy tygodnie.

– Wolałabym nie.

Podkreśliłem grubą krechą oczy.

– To umówmy się w Mieście na dokładną datę i godzinę, jak dwie wskazówki.

– Wolałabym nie. Napiszę. Zobaczymy się później i na długo.

Wyszedłem na ulicę popatrzeć na neony albo na cokolwiek. Nikt nie zwrócił na mnie uwagi. Prawidłowo, przecież chyba nie dla innych wymalowałem sobie twarz na biało-niebiesko.

Kartkę, pierwszą i ostatnią, przysłała z lotniska, tuż po przylocie. Była ujmująca i piękna, na pokładzie podali nawet szampana i truskawki, zapewne z holenderskiej szklarni, po tuzin na pasażera; podczas przelotu można było obejrzeć trzy filmy, w tym komedię przedwojenną, trwała dziewięćdziesiąt pięć minut. Kartka zasługiwała na co najmniej dziesięć listów w krótkich odstępach. Dla przyzwoitości wysłałem tuzin. Trzynastego nie pisałem; czternasty wrócił z pieczątką „adresat nieznany" na przekreślonym adresie: 6, Boulevard de la Planète. W ambasadzie niczego się nie dowiedziałem; przyjaciółka odpisała na papierze czerpanym z nagłówkiem swojej firmy. „Czcigodny Panie, twierdziła, list Pański mnie wzruszył". Niestety nie ma żadnych informacji i w niczym nie może mi pomóc. Jej zdaniem, wróci mój Anioł, wróci na pewno. Wyrazy szacunku, które mi zasyłała, wydały mi się szczere, choć znaczek przedstawiał rzadki gatunek sępa.

Ale, ale, może wy mi pomożecie? Może wy się czegoś dowiecie w Australii albo na Sri Lance, albo na wczasach pracowniczych, może wpadniecie na jej ślad, pijąc piwo nad brzegiem rzeki czy słuchając wieczornych wiadomości w hotelu w obcym mieście, może zobaczycie ją po drugiej stronie ulicy, wracając w piątek z bazaru. A teraz może na próbę poćwiczycie i zawołacie ją dla mnie, najpierw szeptem, a potem, trudno, robiąc nieco hałasu, i wreszcie tak głośno, jak potraficie, bo przecież potraficie, zapewniam, nie szczędząc gardeł, bijąc w talerze, garnki obtłukując, sztućcami waląc w srebrne i złote zęby i w koronki metalowe, może wykrzyczycie ze mną jej imię. Było ładne, międzynarodowe.

Czy powiedziałem już, że w zostawianiu także nie miała sobie równych?

– Coś dla pana zostawiła – wycharkotał nochal właściciel, gdy wróciłem z lotniska – w tej dużej kopercie. Zostajesz pan do jutra? Słyszy pan, do jutra?

– Po co te metafory? – zasyczałem. Wczłapałem na swoje piętro i starannie zamknąłem wypaczone po bokach drzwi. Zarzuciłem rozkopane łóżko grubą warstwą ubrań. Puste wieszaki powiesiłem bez wyroku w szafie. Wziąłem prysznic, był zimny, poważnie. Umyłem mydłu plecy. Pasta do zębów ścisnęła mi dłoń. Chyba zwlekałem z otwarciem koperty. Chyba wiedziałem, co mi zostawiła, chyba się domyślałem od dłuższego czasu, chyba miałem w mózgu czucie. Wy wiecie na pewno.

Był do mnie podobny, ale od tej lepszej strony. Lśnił, gdzie lśni moje czoło, światło przyciemniał tam, gdzie cień rzuca nasada mego nosa. Ust nie wypaczał w nie moim uśmiechu, a patrzył tak intensywnie, że zapiekły mnie spojówki. Solidny, dobrej klasy portret. Nie potrafię powiedzieć, jaką techniką. Znam się na treściach, a nie na formach. Interpretuję co prawda z przesadą, ale póki nie stracę oddechu. I tym razem było tak samo.

Oto dała mi moją twarz. Dała i oddała. Twarz pełną i wyraźną; podręczny sobowtór, lustro na drogę, nitrogliceryna pod język. Dosyć długo to trwało. Stawałem okoniem i unikałem dotknięć jak zaprawiony bokser. Nie chciałem stanąć oko w oko. Gdy wypisywała kolejne cyfry, gdy wybierała do porozumienia się ze mną kolejne długości fal, jak to się mówi w przodujących krajach z dostępem do morza, ja podstawiałem wciąż zero. Pusty owal. Próbowałem stroić miny, przybierać wyrazy, ale kiepsko szło. Bo może gdzieś twarzyczkę straciłem, gdzieś ją oddałem. Może zostałem z nią gdzieś z tyłu, w jakimś mieście, do którego nigdy nie jeździłem, może nie mogłem jej stamtąd oderwać. Jednak wreszcie owal zaczął się zapełniać i żywe rysy i mięśnie gładkie podparły kontur. Wreszcie dorobiłem sobie gębę. I ona teraz prosiła, żebym więcej gębusi nie gubił, i dawała mi ten portret jak memento na drogę. To był jej ostatni prezent, lecz nic z siebie już nieobecnej, nic z tego, czego nie ma, na pamiątkę po stracie; przeciwnie, prezent z zasobów istniejących, bo ze mnie samego. Prosiła, bym zacisnął pięści, i gdy jej nie będzie, zachował portret i nie zatracił go w żałobie po niej. Miałem go wziąć i trzymać mocno jak parawan na wietrze, podczas gdy ona za parawanem ulatniała się wraz z piaskiem. Voilà. Na następnych zajęciach objaśnię związki między szafą, gafą i żyrafą.

Spoczywałem na krześle, tym niezłamanym, i próbowałem złapać oddech. Przypominałem sobie popołudnie, kiedy kazała mi przez chwilę siedzieć bez ruchu i coś tam kreśliła na kartce, rzucając na mnie szybkie spojrzenia; pekliłem się, bo mi stygła zupa. Przyjaciel lekarz twierdzi, że kiedyś o tym spojrzeniu zapomnę. Sąsiadka z piętra też tak uważa. Przyjaciel od literatury twierdzi, że nie zapomnę. Szybkie, krótkie uderzenia źrenic, zimne błyski białek; żadnej na ten czas wspólnoty, zawodowy dystans chirurga plastyka i chłód, niczym obojętny, lecz ożywczy wiatr, dotykający mojego jak najbardziej realnego lica. Będę tu przyjeżdżał, wyrwała się ze mnie półgłośna litania, będę przyjeżdżał i na wielkim placu przed biblioteką będę siadał jak klient frajer na twoim krzesełku i odkładał kapelusz na kolana, i będę czekał, będę czekał, aż wyjmiesz ołówek z ust i papier oprzesz o sztalugę. Będę siadał i będę czekał.

Rozległo się mocne stukanie.

– Jeszcze nie wiem – zarzęziłem. – Nie wiem, do jasnej cholery!

Wszedł bez żenady. W palcach oblepionych pierścieniami trzymał puszkę piwa, a nosem drapał się w drugą rękę.

– Może byś się pan napił. Dobre piwo. Świetnie gasi pragnienie. – Podał mi puszkę i wyciągnął paczkę papierosów. – Proszę, niechże pan sobie zapali.

Wziąłem jednego i przyjąłem ogień. Kurzyliśmy w milczeniu jak czterej pancerni.

– Niech już pan tu nie zostaje – wysapał po chwili. – Wiesz pan, pięćdziesiąt lat prowadzę ten hotel. Szlag by to wszystko trafił. Jasny szlag.

Wstawał dzień. Na trzecim piętrze hotelu „California" w narożnym pokoju zapaliło się światło. Z bulwaru dochodził zapach mokrego asfaltu: dzisiaj znowu będzie padać nad Miastem. Nie zostanę w nim, choć mam jeszcze trochę czasu. Za kilka godzin stąd wyjadę; niech bulwar ciągnie się dalej samotnie swoją lewą i prawą stroną.

Pstryknąłem dwa razy kluczem w zamku, nacisnąłem klamkę, w porządku, klucz swoje przekręcił, zamek swoje obrócił. Zarzuciłem torbę na ramię i wyszedłem na mokre ulice. Poszedłem przed siebie, skręciłem i znowu prosto. W oświetlonych na żółto kawiarniach mężczyźni w białych kitlach machali miotłami, wyganiając nocne mary. Gdy przechodziłem obok, patrzyli na mnie z powagą. Z powagą oddawałem im spojrzenie. Przy naszych stolikach będziemy kawą budzili Miasto, taka jest nasza praca, zdawali się mnie informować, wszyscy musimy wstać, ale przy kontuarze taniej, obsługi się nie wlicza. Tak, niech Miasto wstaje, kiwałem głową, należy o to zadbać.

Zrobiło się już całkiem jasno. Przejechał pierwszy autobus. Nie musiałem podnosić głowy, i tak wiedziałem, że jest to 66. Podziękowałem Panu. Raz jeszcze dwie cyfry nierozłączki. Raz jeszcze byliśmy razem, teraz już ze sobą na zawsze, przytuleni i błyszczący na czarnej krepie tablicy informacyjnej, na wieczność wędrujący po nabrzeżach, mostach i bulwarach naszego Miasta.

W dniu jej wyjazdu musieliśmy wstać wcześniej niż zazwyczaj. To chyba normalne, jeśli dzień jest ostatni, a samolot rano. Niezwyczajnie ciepła była woda, normalnie cienka jej strużka z kranu. Moja szczoteczka jak zwykle się zawieruszyła, lecz znalazła się, rzecz rzadka, w jej kubeczku. Ubraliśmy się zwyczajnie i była tak niebieska jak nigdy. Jak zawsze nie jedliśmy śniadania, wyjątkowo zrezygnowałem z kawy. Nie odzywaliśmy się ani słowem, normalka. Wsiedliśmy po raz pierwszy w autobus 33; dobre i to, mruknąłem zamiast dzień dobry. W metrze był tłok aż do granic miasta, ale jakoś później tłum odprowadzających się zmniejszył. Przykleiłem nos do szyby, za którą przemykały drzewa i fabryki papieru. Tylko on wszystkie zniesie, skojarzyło mi się, to też nieźle. Spojrzałem odruchowo w górę jak mój brat, pierwszy człowiek, gdy mu zgasł ogień, a resztę ukradli. Znad miasta goniły za nami wszystkie czarne chmury, jakbyśmy zapewniali im na lotnisku darmowe międzylądowanie i sprawną obsługę, i choć pociąg przyśpieszył, z dentystyczną wprawą wyrywając nas spośród ostatnich zabudowań, nie dały się wystawić do wiatru.

Czekającym przy metrze autobusem zajechaliśmy pod sam dworzec. Nie ma przewodników, pomyślałem obojętnie, kupując u kierowcy bilety, a i turyści jacyś inni, nawet przedstawić się nie chcą, mimo że tylu są narodowości, imion i zawodów. Lotnisko było w kształcie studni, pewnie budowali je spece od pożegnań, obnażonych uczuć i innych ludzkich przypadłości; tych, co odjeżdżali, schody ruchome wynosiły w górę i tam rozdzielały wedle kierunków, choć nie wedle przeznaczeń; żegnający pozostawali w dole, na samym dnie, wśród resztek powietrza miksowanego przez trzęsące się ze śmiechu śmigła, niżej były już tylko toalety do obmycia łez z twarzy i krwi z przegubów, wysoko wznosiło się czterysta stóp muru i szkła zraszanego tryskającą z dna fontanną. Tu zjemy śniadanie, zaproponowałem, jak to u „Tiffany'ego" na „Titanicu", a nawet po rogalu więcej. Dobrze, ale ja płacę rachunek, rzuciła heroicznie; nie, mowy nie ma, skorygowałem naiwną, dzisiaj płacimy oboje.

Usiedliśmy naprzeciw siebie, ja dla niepoznaki przy napisie „Exit". Kelner nie dał się jednak zmylić i jej pierwszej podał kawę. Zamiast zwyczajowych dwóch kostek cukru przyniósł nam po cztery, to miło z jego strony. Stał przy kontuarze, wysoki, przystojny, skłonny podbiec na najmniejszy ruch dłoni, i głaskał się majestatycznie po lśniącej, czarnej brodzie.

– Gdzieś go już widziałem – szepnąłem – na jakim to było filmie?

Nie pamiętała, zajęta losami cukru w filiżance z duralexu. Były krótkie, takie dla nich bezlitosne prawo, ale ich smak długo jeszcze trwał w ustach. Może jeszcze wrócisz, myślałem, topiąc kolejną kostkę, może z czarnych pian zrodzisz się na nowo, uformujesz w słodką bryłkę i boki wyrównasz. Znowu odrzucisz to, co płynne, i staniesz przede mną w solidnej postaci. Może wrócisz kiedyś jak Rambo drugi i Rocky trzeci, jak czwarty zabór i piąte koło. Jak liść na drzewo i światło pod powiekę. Będę czekał, jak zawsze, a jeśli się spóźnisz o rok czy dwa, przymknę na to oko, a nawet kupię ci jogurtu, tego droższego, z takimi specjalnymi bakteriami, które skutecznie zadbają o twoją florę żołądkową i posmutniałe fauny mojej miłości.

– Wylądował samolot Kanadyjskich Linii Lotniczych z Montrealu – oznajmił niewidzialny głos.

– Widzisz – ucieszyłem się – tu też są przyloty.

Wrzuciła do filiżanki drugą kostkę, choć nigdy nie słodziła, więc dodałem szybko, by uratować jej kawę:

– Samolot zbliża się powoli, kołuje kilka razy i wreszcie dopada asfaltu czterema szponami. Wychodzą pasażerowie, żegnani w drzwiach przez stewardesę. Podróż była wygodna i miła, nie huśtało i nie rzucało, podali szampana, truskawki i wyświetlali śmieszne filmy, toteż życzliwie odwzajemniają jej ukłon i uśmiech. Ona wychodzi ostatnia. W ręku trzyma niebieski parasol. Przechodzą przez długi korytarz, zdobiony podświetlonymi reklamami wysp tropikalnych. W kolorowym butiku kupuje butelkę whisky, zapewne Johnnie Walkera z czarną nalepką. On, za oszklonymi drzwiami, pali z niecierpliwością papierosa i co chwila przyciska nos do szyby, i poły płaszcza nerwowo skubie. Na jego widok ona podnosi tryumfalnie parasol i wymachuje butelką. On z kolei szerokim rzutem wysyła peta ku popielniczce, nie trafia, ale też wymachuje: kapeluszem i laską. Padają sobie w ramiona i jadą do hotelu „California", wykupiwszy bilet u konduktora. Jest rok dwa tysiące sześćset sześćdziesiąty szósty. Na planecie Ziemi nie ma już wojen i…

Dorzuciła trzecią kostkę i zaraz potem czwartą. Zamówiłem dla niej nową kawę i przeprosiłem język za zęby. Czułem, jak nad moją głową wyślizgują się z hangarów samoloty i robią mi z mózgu pas startowy. Rozpędzają się po zwojach i odlatują w siną dal, perforując kopułę. Żadnego nie zatrzymam, przebił się do mnie mój głos, odfruną jeden po drugim, wszyscy pasażerowie proszeni są do wyjścia i nadania bagażu.

– Dlaczego niebieski parasol? – spytała, głaszcząc mnie po dłoni, tej, którą stukam w klawisze.

– Nie wiem. Tak mi się kiedyś śniło.

Rogaliki były bez wątpienia smaczne, pewność czerpałem z zadowolonych twarzy i pełnych ust innych klientów. Dziarsko pałaszowali rumiane i chrupiące, za to my lepiej mieliśmy serwetki. Na szczęście coś jej się przypomniało.

– Maria Pia poznała na nartach jednego Greka, Laikisa Progudisa, adwokata; podobno jeździł fatalnie i co chwila padał jak długi w śnieg, ale pięknie śpiewał. Kiedy wróciła, okazało się, że Piotr pokłócił się z tym wujem, co im podnajmował pokój, i nie wiedzieli, co ze sobą zrobią, na szczęście wuj pojechał na jakiś cykl wykładów, jest znawcą prawa.

– Międzynarodowego? – zapytałem.

– Chyba tak.

W studni nieco pociemniało, pewnie chmury na górze zaczęły się wyładowywać. Już tu zostanę, pomyślałem sobie, schodom ruchomym powierzę swój paszport i klucze, i będę pił kawę do końca dni moich. Będę miał swój stolik, świeżą prasę w dowolnych językach z kiosku obok i przepijać będę do startujących, życząc im udanej podróży. Ktoś tu przecież musi zostać, niebo i chmury muszą przecież mieć świadka swej wysokości.

– Z powodu mgły odloty wstrzymane zostają do godziny jedenastej – usłyszeliśmy nagle i parsknąłem niemym śmiechem. Najwierniejsi przyjaciele nie zawodzili nas, robili wszystko, co w ich mocy, nadciągając tłumnie od północnych wybrzeży i z angielskich obrazów; żeby tylko jeszcze wstrzymali Ziemię i ruszyli Słońce, i zmienili prawo grawitacji, o tak niewiele prosimy. Żeby drzewa były zawsze zielone i ludziom niezmiennie smakowały rogaliki z masłem, a z konfiturą jeszcze bardziej.

Zostawiliśmy pieniądze na talerzyku, bez napiwku, chyba daliśmy go wcześniej, co?, chwyciliśmy się za dłonie jak w klasie zerowej i poszliśmy obejrzeć sklepy, które obsiadły studzienne dno. Rzeczy były piękne, lecz uciekały od nas niczym od trądu, wypinając pogardliwie kartki z ceną. Byliśmy teraz, u skraju rozłąki, intruzami w ich świecie wymiany jednego za drugie, kupowania i otrzymywania.

– Wystaw swe walizki za tę szklaną witrynę – próbowałem ratować sytuację – a kupię je natychmiast. I twoją bluzkę, i spodnie, i twoje buty z lat sześćdziesiątych, wraca na nie moda. I twoje skarpetki, i koszulkę polo, i chusteczkę, nawet mokrą. Kupię za gotówkę, za pracę, za życie. Na kredyt nie – zakończyłem zgrabnie.

Pogłaskała mnie po policzku, tym od blizny, i poszliśmy dalej, przytuleni jak hurtownik z producentem. Matowy, jednokolorowy dywan prowadził nas w koło i choć był nieruchomy, czułem do niego wdzięczność za tę ostatnią podróż, za nasze cztery nogi złączone w jednym kroku, za dwie pary oczu jednym rozbłysłe blaskiem, za dwa nosy grające na zmianę tę samą sienną arię. Przy stoisku z książkami przysiedliśmy wreszcie na wystawionych krzesełkach.

– Co będziesz teraz robił? – spytała aktualnie.

– Dzisiaj? Czy dzisiaj? – dociekałem bezmyślnie.

– No, dzisiaj… i później.

– Nie wiem. Wrócę do hotelu. Wezmę prysznic. Pójdę gdzieś. Za jakiś czas wsiądę w samolot. Albo w pociąg. Noc, dzień i będę u siebie. Kwiaty odbiorę od sąsiadów. Komputer odkurzę.

– Będziesz pisał? – rzuciła z uśmiechem.

– Nie wiem – odpowiedziałem w zadumie – recenzyjkę, tłumaczonko, podanie.

– Opowieść środkowoeuropejską? – uśmiechała się dalej.

– Nie wiem. Może – odpowiedziałem cichnąco.

– Wolna amerykanka, wszystko można, romans, esej, kicz rymowany i bez rymów, narracja na bieżąco, trzy po trzy i podstawianie luster, trochę byle jak, pół żartem, pół nudno?

– Nie wiem. Może – szepnąłem z rozpaczą.

Pocałowała mnie w policzek, ten poparzony.

– Z lewa i z prawa uśmiechnięte pyski krów i świń, ryby radośnie zamiatające ogonem i kury obwieszczające wesołym gdakaniem, że dobry z nich pasztet, a w dodatku 20% darmo, ale żadnej reakcji, ślizga się wzrokiem po nalepkach, jakby to były twarze obcego wywiadu?

– Nie wiem. Może – odtworzyłem gardłowo płytę.

– Potem znowu wychodziłem, szedłem na rzęsiście oświetlony bulwar i czytałem coś przy kawie, rzucając spojrzenia na przejeżdżające samochody? – nalegała.

– Odlot samolotu do Montrealu. Wyjście numer sześć – zaśpiewały głośniki.

Podeszliśmy do schodów ruchomych. Podałem jej walizkę.

– Kamień błyszczek do fali przesłał cichy zew – uśmiechnęła się raz jeszcze, przez łzy.

Podałem drugą walizkę.

– Koncha prawoskrętna snuje błogą pieśń – wyszeptała, wstępując na stopień. – Kocham cię.

– Kocham cię. Kocham cię, kocham – powiedziałem.